자전적 수필집

하봉수 지음

인생 계단
오르기

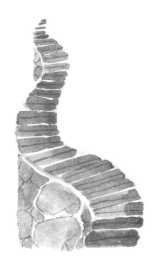

맑은샘

인생 계단 오르기

초판 1쇄 인쇄 2019년 05월 23일
초판 1쇄 발행 2019년 05월 29일
지은이 하봉수

펴낸이 김양수
편집·디자인 이정은
교정교열 박순옥

펴낸곳 도서출판 맑은샘
출판등록 제2012-000035
주소 경기도 고양시 일산서구 중앙로 1456(주엽동) 서현프라자 604호
전화 031) 906-5006
팩스 031) 906-5079
홈페이지 www.booksam.kr
블로그 http://blog.naver.com/okbook1234
이메일 okbook1234@naver.com

ISBN 979-11-5778-379-3 (03800)

* 이 책의 국립중앙도서관 출판시도서목록은 서지정보유통지원시스템 홈페이지
  (http://seoji.nl.go.kr)와 국가자료공동목록시스템(http://www.nl.go.kr/
  kolisnet)에서 이용하실 수 있습니다.
  (CIP제어번호 : CIP2019020433)

작가의 말

살아온 인생이 힘들고 고달팠습니다. 가난으로 굶주림을 겪었고, 학업을 제대로 하지 못하였으나 강직과 성실로써 살다 보니 그래도 노년은 편안한 삶을 살 수 있게 되었습니다.

회갑을 지나고 법정 노인이 되는 2011년도에 처음으로 자서전이란 걸 생각하고 연대별로 지나온 삶의 역사를 기록해 보았습니다. 그리고 그 후, 한 번씩 생각날 때마다 수정하였습니다.

칠순을 넘기고 나니 본격적으로 자서전을 쓸 욕심이 생겨서 '아주대 문학창작반'을 다니면서 수필과 시를 배웠습니다. 그러다 보니 '좋은 문학 9집 수필 부문 신인문학상'으로 등단하는 즐거움도 갖게 되었습니다.

가만히 생각하니 연대별로 써놓은 자서전을 수필로 바꾸면 더욱 좋을 것 같다는 생각이 들었습니다. 자서전의 내용을 고향 추억, 군 생활, 회사 생활, 군무원 생활, 전원생활, 일반 사회생활로 살아온 시기에 맞게 구분하여 실제 생활과 부합되게 순서를 정하였습니다.

가난은 국가의 발전과 더불어 해결되었고, 알뜰살뜰 살아온 결과로 연금을 수령하니 경제적 어려움은 해소되어서 전원생활도 할 수 있는 여유를 가지게 되었습니다. 두 아들이 그런대로 잘되어 든든하고, 집안에 우환이 없이 지내니 다행입니다.

공부는 어려운 가운데에서도 부산에서 야간 청구고를 졸업했고, 군무원 시절 83학번으로 방통대를, 89학번으로 경기대 행정대학원을 졸업하여 석사 학위와 총장 표창을 받았으며, 학점은행과 서울디지털대, 국제사이버대를 졸업하였습니다. 국제사이버대를 졸업할 때는 칠순에 졸업하는 저에게 경의를 표한다는 총장님의 덕담과 표창장도 받았습니다. 9개의 각종 자격증으로 직장을 다니며 못다한 공부 욕심을 마음껏 채웠습니다.

경기대 행정 대학원을 다니면서 석사 학위 논문을 쓸 때가 생각납니다. 그때처럼 표창은 못 받아도 주마등 같은 인생의 노정을 제대로 기록하여 후세에 전하고자 하는 마음입니다.

그동안 저와 함께 살아온 사랑하는 이성순 여사, 나의 아내에게 고마웠다는 말을 전합니다. 아울러 대기업에서 20여 년을 근무하며 살아가고 있는 첫째 아들 승용과 자신의 기업을 경영하는 대표의 자리에서 바쁜 나날을 보내는 둘째 아들 승철, 지극정성으로 보살펴준 며느리 지애, 할아버지가 가장 사랑하는 채연, 유나, 연서, 연진에게 이 책을 전합니다.

먼저 가신 어머니, 아버지, 장모님 영전에도 보잘것없는 저의 삶 이야기를 올려드립니다. 다시 한 번 저와 함께 이 세상을 살아오신 모든 분들에게 머리 숙여 감사드립니다.

무술년 정초 강림에서
백천 하봉수

멈추지 않을 수필 세계로의 초대

경험은 묘사할 수 없다. 공감할 순 있어도 결코 흉내낼 수 없다. 얼굴이 다르듯 각자의 삶은 다양하여 알 수 있는 방법이 제한적이다. 있다면 구전으로 들을 수 있고 그들이 쓴 기록문을 읽으며 간접 경험하는 방법밖엔 없다. 하봉수 수필가의 첫인상은 군 장교 복무로 다져진 건장한 체구와 함께 살아있는 눈빛이 신념으로 가득 차 보였다. 아니나 다를까, 얼마 지나지 않아 수필의 형식, 문장의 나열, 구어체 변환 등 하나하나 깨우치려는 질문이 쏟아져 그의 의지와 열정에 놀라웠고, 무엇 하나 허투루 듣지 않고 메모를 하여 현재의 '하봉수'라는 이름의 작가로 발돋움하리라 예견되었다.

인생 후반부에 수필 쓰기에 입문하는 분은 대부분 자신의 삶을 다양하게 살아 내신 분들이 많다.

그의 글을 유심히 보게 되었다. 지나온 삶을 돌아보며 쓰고자 하는 욕구가 충만한 걸 감지할 수 있었다. 그의 이야기는 갈급한 마음으로 실타래 풀어내듯 이어졌고, 퍼내도 고갈되지 않는 우물처럼 끝이 보이지 않았으며, 순수하고 진솔했다. 특히 수류탄 폭발 사고로 부하의 죽음을 애통해하는 글에선 천지가 무너지는 슬픔과 그의 섬세한 성품이 고스란히 나타난다. 군데군데 널려진(수필 본문 그대로) 살점을 모아 장례를 치른 모습, 까마귀가 사고 주변에 몰려와 남아 있는 작은 살점을 쪼아 먹는 걸 총을 마구 쏘아 쫓아냈다는 구절에선 하봉수 수필가의 정신적 내면세계를 유추할 수 있었다. 이 한 편은 그의 정신세계를 선명하게 비추고 있다고 해도 과언이 아니다.

인간은 한시적 삶을 살다 이름 석 자 남기고 떠나는 구름 같은 존재이다. 문학의 힘을 빌려 하고 싶은 말을 언어로 승화시킨 그의 작품 속엔 매사 적극적인 성정, 뼛속 깊이 박힌 선천적인 책임감과 함께 살아온 흔적이 투명하게 나타나 그의 뜨거운 가족애, 동료애, 주변 지인과의 우애를 간파할 수 있다. '사람은 무엇으로 사는가'에서 톨스토이는 사랑을 강조했듯, 하봉수 수필가 역시 변색되지 않은 싱싱한 언어들이 함께 머무는 생명들 가슴 언저리에 스며들어 묵은 마음을 정화시킬 수 있다고 확신한다. 계간 [좋은 문학] 수필 부문으로 등단한 지 일 년여 지났을 뿐인데 첫 수필집을 상재하는 하봉수 수필가의 앞날에 봄날의 새순 같은 희열과 행운이 깃들길 바라며, 깊은 축하와 함께 앞으로 독자에게 들려줄 새로운 이야기에 귀 기울여본다.

경기 한국수필가협회장
수필가 이경선

차례

1장
진주라 천리 길
1946.9. ~ 1964.6.

어릴 적 추억

동네가 시골이 아니고 도회지 한가운데이면서 새롭게 도시 계획을 세워 개발하는 바람에 어수선했다. 도로가 새로 나고, 집들이 헐리고, 큰 도로를 중심으로 북쪽은 학교와 경찰서가 있고 반대편에는 공원과 극장이 있었다. 이 동네에 일곱 명의 개구쟁이 소년들이 매일 모여서 장난스러운 일들을 작당하면서 즐겁게 시간을 보냈다.

 '배영 초등학교'를 두고 바로 앞에는 문방구와 탁구장을 하는 평철이네, 큰 기와집에 사는 병권이, 연탄 공장을 하는 태기네가 있고, 조금 떨어진 위에는 아버지가 세무 공무원이었던 원후가, 도로 건너편에는 나, 그리고 할머니와 어렵게 살던 재희가 있었다. 앞집에는 시장에서 고춧가루와 참기름 장사를 하는 구상이네가 사는 곳이다.

 저녁이 되면 학교에 모여서 철봉도 하고 은행나무 사이로 뛰어다니면서 놀다가, 조일견직 공장에 여공들이 학교 담벼락으로 이어진 길을 따라 퇴근을 할 때쯤이면 장난이 시작되었다. 모두 담 뒤에 숨어서 오줌 총을 싸기 시작했다. 담 너머 걸어오던 여공들이 질겁하고 도망갔다. 그걸 보고 웃었다. 오줌 총 멀리 싸기는 태기가 최고였다. 나중에 결혼하기 위해 포경 수술을 했다는 이야기를 전해 들었다.

담 위에 한 명이 앉아서 퇴근하는 조일견직의 여공들을 정조준하여 오줌 포격을 할 수 있도록 도왔다. 단연 태기가 특등 사수였다. 뭐, 소변이 계속 나오는 것은 아니니 일차 3명 그리고 이차 3명으로 나누어서 하기도 하고, 잠시 쉬었다가 다시 소변이 마려우면 다시 포격을 가한 후 도망갔다.

다른 방법으로는 새끼줄에 시커먼 고랑 물과 흙을 묻혀서 땅에 질질 끌고 다니며, "이―비 뱀이다" 하면서 여공들 사이를 지나면 놀란 여공들이 "어―머나!" 하는 놀란 목소리를 지르면서 피했다. 마냥 즐거웠다. 웃다가 배가 터질 지경이었다. 달 밝은 날은 놀이를 하지 않고 어두운 그믐날에만 놀이를 하여 효과를 극대화시켰다.

조일견직 여공들은 집안의 어려운 살림살이를 돕는 최일선에서 일하는 여장부들이었다. 누님도 중학교 졸업 후 여공으로 다니면서 식생활과 나의 학비에 많은 보탬을 주었다.

아침에는 학교 운동장에 모여서 철봉과 제자리 멀리 뛰기로 시간을 보내고, 무섭다는 학교 강당 지하실에 일부러 들어가서 무엇이 있는지 보기도 했다. 철봉은 재희가 가장 잘하였다. 예쁜 여학생과 짝지우기도 즐거움 중에 하나였는데, 태기는 이웃집 숙희와 그렇고 그런 사이라든가 평철이는 옆집 은숙이와 그런 사이라는 둥 말도 안 되는 걸 갖고 재미있어하고 지냈다.

재상이네 집은 동네에서 가장 부잣집이다. 아버지가 '신농 상회'라는 농기구점을 중앙시장에서 하면서 시의원과 '본성동' 동장을 지냈다. 그리고 내가 가장 많이 들락거린 집이기도 하다. 밥도 얻어먹고 학교 끝나면 재상이 집에서 종이에 기름을 먹여서 복사지를 만들어 그림을 복사해서 그리는 일도 하고, 집 뒤에 있는 칠면조를 구경하거나 시장에 있는 철물점에도 놀러 가서 철물점 이층에서 재미있게 놀기도 하였다. 아무튼 초등학교 시절 거의 살다시피 한 곳이다. 처음에는 병권이라는 이름으로 부르다가 중학교부터 재상으로 바꾸었다. 지금 생각하니 커서 높은 재상이 되라는 부모님의 바람이었으리라 생각된다. 그런 바람에도 재상이는 중고등학교는 보궐로 들어가고 결국 아버지가 하시던 농기구점을 시장에서 하고 있다. 어머니가 인자하셨다. 늘 나를 챙겨주시고 많은 은혜를 베푸셨다.

배고픔을 이기기 위해 이 집 저 집 친구 집에 얹혀서 밥을 얻어먹고 하다가 안식교회에 우연히 다니기 시작하여 교회에서 허드렛일을 해주면서 생활하게 되었고, 식사 문제와 학비를 해결하기도 하였다. 어릴 때에는 배고픔을 해결하는 게 최우선이었으므로 학교 친구들 집에 가서 먹고 자고 하면서 보내는 경우가 많았다. 부모님도 찾지를 않았다.

집에서 걸어서 외갓집엘 가서 외할머니가 만들어준 고구마 부대를 어깨 멜빵을 만들어 지고 높은 고개를 두 개나 넘고 이십 킬로미터를 걸어오면서 산딸기와 까마중을 따먹고 허기를 면했다. 그렇게 지고 온 고구마는 열한 명의 식구가 배고픔을 해결하는 데 도움을 주었다. 간혹 외할머니가 돈을 주면서 버스를 타고 가라며 버스 정류장까지 데려다 주기도 하였다.

한 번은 진주에서 사천에 있는 재상이 외갓집에 함께 놀러 갔다가 외갓집 마당에 있는 앵두를 따먹었고, 누에고치를 키우는 잠실에서 뽕나무 열매인 오디를 먹었다. 바닷가에 가서 게도 잡다가 걸어서 집으로 오면서 길가에서 쓰러져 자다가 정신 차려 고랑 물에 세수해 가면서 집에 돌아왔다. 집에 오니 밤 열두 시인데도 어머니는 발그스레한 전등불 아래에서 밀짚모자의 재료인 밀짚을 꼬고 있었다. "밥 먹었느냐", "어디 다녀왔느냐" 물어보지도 않았다. 스스로 먹고살기 위해 노력을 해야 했다. 신문 팔기, 아이스케키 장사, 돼지 농장에서 일해주기 등 밥을 주는 곳은 어디든지 찾아다녔다.

힘든 보릿고개 시절이라 굶주림을 면하는 일이 살아가는 목적이 되었다. 어릴 때의 고통스러운 기억은 나이를 먹을수록 더욱 생각이 났다. 간혹 꿈도 꾸기도 하였다.

시골 강림 농원에 자두나무와 뽕나무를 심고 집에 앵두나무를 심은 것도 어릴 때 배고픔을 달래 주던 일이 기억나서 한 일이다.

친구와의 즐거웠던 추억보다는 굶주림으로 인한 힘든 생활이 항상 나를 괴롭혔다. 너무나 힘들고 어려운 세월이었다. 다만 그러한 나의 고생이 근검절약으로 이어져 오늘을 있게 한 밑거름이 되었다. 세상이 변하여 먹고사는 문제가 해결되니 건강하게 오래 살기를 원한다.

고향 집

아파트가 오래되어 수리할 곳이 많이 생겨서 다른 아파트로 이사를 하게 되었다. 신경 쓰이고 귀찮은 수리보다는 이사하기로 한 것이다. 요즈음은 아파트 시대라 우리 집은 없다. 그냥 사는 곳이다. 옛날에는 손수 지은 집에서 몇 대를 살면서 인간의 삶의 고뇌를 함께 하던 곳이 바로 우리 집이다.

11명의 가족이 서로 싸우고, 웃고, 부딪히면서 정을 쌓아 가는 곳, 이웃한 사람들과도 오순도순 정답게 사는 그런 모습이 있는 곳이 우리 집 풍경이다.

고향의 우리 집은 원래 모습에서 아래채가 6.25 전쟁통에 헐렸고, 새로 생긴 신작로에서 나무판자를 듬성듬성 대어 만든 허름한 나무 대문을 들어서면 먹은 게 없어 제대로 역할도 못하고 그냥 있기만 한 통시가 오른쪽에 있다. 통시를 지나 안으로 들어서면 왼편으로 건넛방과 뒷방, 2개가 나란히 부엌을 사이에 두고 있다. 초등학교 졸업할 무렵 신작로가 생기면서 아버지와 둘이서 새로 지은 집이다.

기둥과 기둥 사이 사이에는 재럽대기와 대나무로 연결하고 황토와 짚으로 만든 흙으로만 벽을 바르지 않고 신식 방법으로 횟가루 물을 만들어 발라서 표면이 희고 매끈하였다.

이곳 방을 내 여동생이 신혼 방으로 사용하였고, 소방관 생활하면서 부인이 '아세틸렌' 가스로 떫은 감을 홍시로 만들어 팔면서 신혼생활을 하던, 마산이 고향인 조 순경 내외가 살았다. 마지막으로 경찰서 형사를 지내고 '본성동' 동장까지 역임한 동네의 유지인 '장복도' 아저씨와 아들 만철과 상철 형제 일가가 살기도 한 집이다. 한때는 매제가 어려워서 이곳에서 처가살이도 한, 꽤 서민의 삶이 배어 있는 곳이기도 하다.

건넛집의 바로 앞에 있는 안채가, 3대가 살아온 오래 묵은 기와 지붕에 허술한 벽, 곧 기울어질 듯한 기둥과 속살을 내보이면서 멋 부리고 겨우 서 있다. 집이 주변 지대보다 낮게 되어있어 비만 오면 부엌에서 물이 나왔다. 그래서 함석을 받쳤고, 솔방울이나 톱밥을 풍로를 이용하여 태웠다. 어머니의 고생이 말할 수 없이 많았다.

쌀이 없어 주로 보리를 절구통에 찧어서 한 번 삶아 두었다가 한 번 더 삶고, 쌀은 한 주먹만 넣어 할머니와 아버지의 밥을 장만하였다. 쌀밥을 먹을 수 있을 때가 제삿날이라 잠 안 자고 제삿밥 얻어 먹으려고 기다린다고 혼이 났다. 기다리다가 지쳐 아침에 눈 뜨면 모두 제삿밥 먹고 나만 못 먹었다고 대성통곡을 하였다.

아버지가 항시 장작불을 때어서 밥을 해 먹는 것을 좋아하여 "장작 사려" 하고 외치는 장작 장수의 소리가 들려도 돈이 없어서 사지 못하고, 동네 주변 곳곳을 돌아다니면서 나무 조각을 주워서 그것으로 밥을 해 먹었다. 그러니 길에 다녀도 그냥 다니는 법이 없이 유심히 살펴서 나무 조각이나 솔방울을 주워 오는 일을 할 수밖에 없었다. 심지어 소똥, 말똥도 주워서 가져 왔다.

방바닥은 당시만 해도 비닐 장판이 귀한 시대라 시멘트 부대에 콩기름을 먹여서 방바닥에 바르고 장판으로 사용하였다. 오래되면 벽과 방바닥이 마주치는 모서리에 빈대가 나와서 새까만 빈대 무리가 디디티(DDT)로 줄 쳐진 경계선을 넘지 못해 사투를 벌이고 있는 모습을 종종 본다. 천장에서는 서생원들이 운동하고 있어 "쿠당, 쿵쿵" 소리가 시도 때도 없이 나기도 했다. 그래도 아무 일 없다는 듯이 안방에는 서로 부딪쳐 가면서 끌어안고 난리를 치면서 정답게 9명이 모로 칼잠을 자고 뒷방에는 부모님이 주무신다.

집 앞 화장실과 연한 담벼락에는 경상도 지방에서 매운탕, 보신탕 등 탕에는 꼭 들어가야만 하고 각종 전에도 넣어 즐기는 방아가 자라고 있고, 그 밑 화단에는 채송화와 봉선화가 흐드러지게 피어나고 있었다. 장독 옆에는 키 큰 해바라기와 접시꽃 한 쌍이 피어있었다. 장독대는 할머니가 군대에 간 큰손자의 안녕과 집안의 무사안위(無事安危)를 정안수 한 그릇 떠놓고 빌던 모습이 아련히 서려 있었다.

전방 부대에 배치 받자마자 할머니 사망 관보를 받고 3일 만에 집에 도착하니, 할머니 의 영현은 볼 수 없었고, 방금 매장하고 돌아왔다는 부모님의 말씀을 듣고 사진을 보면서 인자하시던 할머니를 생각하며 혼자 소리 내어 울었다.

안채 옆에 둔 절구통은 거의 비어있고 그 위로 한번 삶은 보리를 담아 걸어둔 소쿠리가 있었다. 우리는 종종 배가 고프면 손을 넣어 한 주먹씩 집어 먹고 도망가기도 하였다.

정다운 고향 집도 할머니 돌아가시고 아버지마저 단명으로 할머니를 따라가신 후 개발에 밀려 어려운 시절의 추억과 함께 사라지고 없다. 이사하던 날 어머니는 솥뚜껑을 붙잡고 눈물을 흘리셨다.

강림 전원주택을 구매하자마자 방아를 구하여 심었다. 바위틈에도 나무 그늘에도 이곳저곳에 퍼져서 가을이면 꽃을 피우는 방아 냄새를 맡고 있다. 비 오는 날이면 흐르는 물을 퍼내면서 밥을 하시던 어머니의 안쓰러운 모습과 오래된 지붕에서 물이 새는 걸 받는 찌그러진 그릇에서 나는 물소리가 고향 집을 생각하게 한다.

고향 방문과 성묘

매년 아들 둘하고 같이 고향으로 내려가면 동생네 농장에 들러서 예초기와 낫을 챙겨 조부모와 부모님 산소엘 가서 벌초하곤 했다. 그러다가 작년부터는 여동생 큰사위인 장 서방에게 부탁하여 위탁 벌초를 하면서 추석이 지난 후 내려가서 성묘를 하고, 점심에 동생 내외와 함께 진주의 특산물인 붕장어를 구워 먹고 귀경하는 성묘 행사를 해오고 있다.

올해도 두 아들에게 카톡으로 우선 벌초 비용 10만 원씩을 입금하고, 추석 성묘는 14일에 한다는 메시지를 보냈다. 큰아들이 먼저 입금 후 확인 전화가 왔다. "입금 확인했는데 승철이는 아직 답이 없네" 하고 메시지를 보낸 후 입금한다는 연락이 왔다. 평소 아버지의 카톡에 큰아들은 "네"로 바로 답이 오는데 작은아들은 답이 없다. 장남은 군 장교 출신이라 응답을 즉시 하지만 둘째는 산업체 출신이라 자신에게 필요한 사항이 아니면 답이 없다. 그래도 알아서 잘하긴 하는데 나 역시 군 출신이라 즉답을 기다린다. 심사숙고형이라 늦은 편이다.

이번에는 집사람도 함께 다녀올까 한다고 했다. 그래서 나를 중심으로 한 원가족 4명이 한 대의 차에 타고 가족성묘단이 되어 처음으로 함께 간다. 매제가 작년에 뇌출혈로 쓰러져서 요양 병원에 현재까지 입원해 있으므로 병문안도 할 겸 함께 가야겠다는 생각이다.

"내일 진주 가니 오늘은 술 먹지 말고 집으로 바로 갈 것"

마지막 카톡으로 메시지를 보내고 집사람이 산소에 놓을 약간의 제물을 준비하여 출발 시각에 아파트 앞에서 기다리면서 답이 없는 둘째한테 출발했는지 확인을 한다. "집 앞입니다. 바로 도착합니다" 하는 전화를 받고 조금 기다려서 도착한 둘째 아들이, 오늘이 토요일이라 올라올 때 차가 많이 밀리니 회사에 가서 큰 차로 바꾸어 타고 가자는 이야기를 한다. 올해는 큰아들이 차를 가지고 와서 운전할 차례지만 막내로서 솔선해서 하기로 마음먹은 것 같다.

회사에 들러 차를 바꾸어 타고 버스 전용 차로로 달리니 약 30분 정도 시간을 단축하여 산소가 있는 곳에 도착할 수 있었다. 조부모 산소에 올라가는 길이 너무나 험하여 작년에 레미콘 비용 10만 원을 보내 주었는데, 유심히 도로를 보니 중간중간 레미콘으로 포장을 한 게 보이긴 해도 크게 향상되지는 않았다.

조부모 산소의 벌초는 우측 소나무 있는 방향에는 조금 미흡하게 되어 있어 장 서방에게 이야기했더니 그쪽까지 하는 줄 몰랐다고 대답하였다. 내년에는 부탁한다는 말을 하고, 부모님 산소에 가니 완전히 다른 곳처럼 주변 정리를 잘하였고 벌초도 조상 산소까지 완전히 잘되어 있었다.

성묘를 마치고 동생에게 전화하니 사무실로 오라고 해서 음료수

2박스를 사서 사무소엘 들렀다. 동생은 경찰에서 정년퇴직 후 공인 중개사 시험에 작년에 합격하여 사무실을 운영하는 중이다.

사무실에서 처음 만난 동생은 악수를 끝내자마자 큰며느리 자랑이다. 음악 대학원을 다니면서 돈도 잘 번다는 이야기였다. 이번 등록금은 자신이 부담하였다며 사업 영역도 경기 지역으로 옮겨 더 잘될 거라고 하였다. 제수씨는 결혼식에 갔다면서 병원에 들른 후 집에 들러서 함께 '회도 좋아 장어도 좋아' 식당으로 가서 점심을 함께하기로 하고 사무실을 나와서 요양 병원으로 갔다.

병원에 들어가니 이 서방이 내려가라고 했다며 문 앞까지 여동생이 마중을 나왔고, 조금 기다리니 매제가 '휠체어'를 타고 웃으면서 우리들 앞에 나타났다. 작년까지만 해도 대학병원에서 바짝 마른 체구에 말도 못하고 살기 어려워 보이던 사람이 오늘은 얼굴 모습이나 체격도 정상으로 돌아왔다. 다만 아직 말이 약간 헛나오고 오른쪽 다리를 제대로 사용하지 못하는 불편이 있어 재활치료를 열심히 받으며 걷기 운동을 하고 있다는 설명을 듣고 더욱 열심히 하라고 말했다. 저번 주에 딸 4명이 모두 와서 아버지가 운동을 게을리 한다면서 하소연을 하고 갔다는 소식과 장 서방이 보낸 과일 상자를 전해주어 고맙게 받았다.

동생 집에 들러서 과일과 올해 특별한 재료로 만든 호박즙, 대추즙 두 상자를 받아 싣고 식당으로 갔다. 식당에 도착하자마자 동생은 큰며느리가 결혼하게 된 계기를 자신이 마련했다면서 잘한 일로 또 자랑이다. 둘째는 현재 임신 중이고 셋째는 연애 중이나 지금 다니는 직장이 힘들어 어렵게 지낸다고 했다. 조카들도 함께 왔는데 무슨 그런 자랑만 하는지 연신 떠들어 댄다.

옛날에는 진주에 도착하기 전에 출발했느냐로부터 시작해 어디에 오고 있는지를 묻고 산소에도 함께 오고 했는데, 이번에는 그냥 산소에 들러서 오라고만 하고 전화 한 번 없었다. 조금 변한 것 같아서 동생의 모습을 자세히 보니 이빨을 틀니로 갈아 끼우고 나서 입 주변이 오목하게 들어가 합죽이가 되고 기(氣)가 좀 빠진 모습이다. 올해부터 법정 노인에 해당하는 나이다 보니 자신감도 많이 떨어진 걸 알 수 있었다. 세월이 사람을 변화시키는 모습을 보는 것 같아 가슴이 서러웠다.

서울로 돌아오는 길에 진주 개천예술제 행사장 주변을 지나서 오니 옛날 진주 백사장에서 하던 소싸움이 생각났다. 지금은 등 축제 위주로 바뀐 점이 아쉽다.

조상의 산소에 성묘하러 10시간 가까운 시간을 운전하고 오다가 터널 안에서 진입로 변경으로 암행 순찰 경찰에게 걸려서 벌금까지 내가면서 힘든 여정을 보냈다. 특히 아들들이 힘든 것 같았다. 다른 조카들은 해외여행 다니고 하는 데 장손 아들이라 벌초 비용도 내고 힘든 일을 시킨 것 같아 카톡으로 "오늘 수고 많았다. 내년부터는 나 혼자 다녀오마" 하고 메시지를 보냈더니 장남은 "그래도 1년에 한 번은 함께 다녀오시죠" 하고 메시지가 왔지만 둘째는 역시 답이 없다.

가만히 생각하니 나의 나이로 보아 고향도 조상 산소 성묘도 얼마나 더 다녀올지 모르는 일인데, 나의 사후에 '이천 호국원'엘 가면 그때에는 자식들이 고향 방문을 더 이상 하지 않을 것으로 생각되어 매년 고향의 조상 산소에 들르는 일은 계속하는 게 좋을 거 같다는 생각이 든다.

혼자 산다

집 전화로 전화가 오면 틀림없이 누님 전화다. 누나는 혼자 할 이야기만 하고 전화 받은 사람이 말하기 전에 그냥 끊어 버린다. 전화를 받은 집사람은 항상 투덜거리지만 타고난 성격이라 어쩔 수 없다. 오늘도 전화가 왔다. "동생아! 내가 심은 브로콜리를 좀 보내려고 하는데 어떻게 생각하느냐?"가 대화의 요지다. 보내시면 고맙다고 말씀드리니 알았다고 하면서 전화를 끊었다는 것이다.

외롭게 평생을 혼자 사시는 누님은 어려운 가족을 위하여 중학교 졸업과 동시에 '조일견직'에 들어가서 여공으로 생활하였다. 아버지의 권유로 어설픈 남자와 결혼하여 아들 하나를 두고 헤어져서 혼자 이런저런 일하면서 살다가 지금의 해남으로 흘러 들어가서 그 지방 남자와 함께 살았다. 그러다가 남편이 먼저 사망하는 바람에 아예 그곳에 눌러살면서 농촌에서 할 수 있는 일은 무엇이든지 하면서 생활하신다.

시골에서는 흔하지 않은 여중학교까지 나온 분이면서 성격상 일도 잘하고 열심히 하니 반장으로 호칭되어 조금 더 일당을 받을 수 있게 되었다. 몇 사람의 아낙네를 거느리고 일하는 반장으로서 유통 업체에서 서로 모셔 가려고 야단들이다. 그렇게 힘들게 생활하는 동안 운반 차량의 뒤 문짝으로 잘못 탑승하는 바람에 다리를 다쳐서 병원에 두 달간 입원 치료를 받기도 하였다. 혼자 고생하면서 돈을 모아 아들 집도 사주고 자신은 조그마한 빌라에 사시면서 이런저런 음식으로 식사를 대신하면서 지내다 보니 몸 상태가 말이 아니었다. 치과에 임플란트 수술로 많은 돈을 갖다 주었고, 고혈압, 당뇨약도 잡숫고 지내신다.

"동생아 잘 있나?" 하고 간혹 전화가 온다. "누님 어찌 지내요?" 하고 물으면 잘 지낸다는 게 대답이다. 그리고 바로 전화를 끊는다. 자신이 할 말만 하면 바로 전화를 끊는 게 특기이다. 동생들 안부를 묻는 전화가 대부분인 걸로 봐서 아마 외로움에서 오는 정신적 위안을 삼기 위해 동생들에게 전화하시는 것 같다.

그곳 해남의 주산물인 감자, 고구마, 마늘을 택배로 보내 주시는데 착불로 보내신다.

"동생아 마늘 농사 지었나? 내가 마늘 좀 보내줄게" 하고 연락이 오면 미리 경비에게 택배비 오천 원을 맡겨둔다.

부모님 제사 때에도 꼭 미리 전화가 온다. 음식 많이 하지 말고 조금만 해서 모시라고 한다. 제사 준비가 힘든 걸 아시고 시누이로서 한마디 돕는 것이다. 아들은 광주에 살고 자신은 해남에 살면서 자식에게 누가 될까봐 조심조심한다. 어버이날이 되면 효도비를, 생일에는 생일 축하금을 보내드리고 건강하게 사시길 기원한다.

수원에서 광주로 이사한다는 말을 전해 듣고 부모님 제삿날 올라

오셨다. 수원 시외버스 터미널로 마중을 나가서 모시고 오는데 옷 속에서 봉투를 꺼내더니 백만 원을 주시면서 이사하는데 보태 쓰라고 하신다. 누님의 어려움을 알고 있는 나로서 받을 수 없다고 사정했지만 극구 만류하시면서 주시니 안 받을 수는 없고 큰 빚을 지게 되었다. 팔순에는 갚아 드리기로 생각하고 있다.

해남은 두 번 다녀온 걸로 기억한다. 한 번은 일부러 사는 모습도 보고 구경도 할 겸 찾아가서 이틀을 함께 보내면서 동네 식당에도 들러 인사도 하면서 주변의 명승지도 구경하고 다녔다. 혼자 살고 있으면 사람들이 업신여긴다. 그래서 내려간 김에 동네 사람들과 서로 인사도 하고 식사도 함께 하면서 은근히 동생들이 있다는 걸 보여주는 것이다. 그리고 한 번은 아들 결혼식에 참석하러 내려갔다 왔다. 결혼식 날 팔 남매가 모두 참석하니 신부 집에서는 물론 주변 이웃들이 놀랐다고 한다.

경상도 타 지방에서 온 여자이니 목소리도 왕방울을 단 것 같고, 동작도 거칠고 해서 토박이들이 텃세 부리기도 한다. 그리고 뒤로 별말 다 해가면서 흉보는 걸 알고 있으면서도 그냥 지내신다. 나이 팔십이 가까워지면서 다른 곳으로 가봐야 그래도 이곳만큼 되겠느냐 하는 생각이신 것 같다. 하지만 간혹 진주 집 근처로 이사를 했으면 하는 생각으로 부동산에 대해서 물어보시곤 한다. 누님의 공장 월급으로 중학교 학비를 내면서 공부한 나로서 항상 누님의 고마움을 잊을 수가 없다. 누님과 나는 나이 차이가 조금 있다. 그래서 누님이 결혼할 당시에는 어린 나이라 전후 사정을 알 수가 없다. 당시에는 어려운 가정 형편으로 인하여 빨리 한 입이라도 덜어버리자고 생각했다고 한다.

인생을 너무 힘들게 살아가는 누님을 생각하면 가슴이 저민다. 이제 얼마 안 있으면 80세가 된다. 제발 누님이 치매로 인하여 요양원에 가는 일은 없어야 하는데 늘상 마음이 조마조마하다. 올해는 해남을 방문하여 누님을 뵙고 고마움을 전해야겠다.

가래톳

아버지가 돌아가시고 생계가 막막하던 어머니는 집 대문 안에 조그만 가게를 펼치고 막걸리 등 약간의 술과 채소류, 안주류를 팔면서 간신히 생계를 꾸려 나가셨다. 동네 분들이 들러서 조금씩 팔아 주면서 도움을 주었다. 어머니의 살아온 삶의 모습이 아련히 떠오른다.

어머니는 한글 해독도 하시고 덩치가 크신 분으로 진양군 명석면 추동리에서 망한 양반집 장녀로 태어난 청송 심 씨의 후손이시다. 아버지와는 같이 염색 공장에서 일을 하다가 눈이 맞아 연애결혼하였다.

자식이 여덟 명이나 되긴 했어도 누구 하나 어머니를 모시고 사는 자식은 없었다. 장남이 모셔야 한다는 생각에, 군에 근무하는 장남이 어머니를 모시지 못하게 되어도 아무도 모시려고 하는 자식이 없었다.

비가 오면 부엌에 물이 나서 함석을 받치고 불을 때어 풍로와 솔방울로 밥을 지었다. 아버지가 장작불로 지은 밥을 고집하여 고생도 많으셨다. 작은아버지가 먼저 돌아가시는 바람에 아버지가 두 집 살림을 하다 보니 간혹 부부 싸움도 하였다. 어릴 때 아버지가 술을 잔뜩 먹고 남강에 빠져 죽으러 간다고 하여 어린 나는 가슴이

덜컹 하였다. 돌아가신 사촌 형과 함께 뒤를 살금살금 따라가 보면 의암 바위 옆에서 흐르는 남강 물을 보고 한참 계시다가 다시 집으로 돌아오시곤 했다.

어머니가 피부암으로 경상대 병원에서 치료를 받는다고 했다. 사타구니 옆에 가래톳이라고 하는 몽우리가 생긴 것을 '편평상피세포암'이라 하여 난리 법석을 떨었다. 그 바람에 나이 먹은 노인의 부끄러운 부분을 들추어서 창피하게 만들어 치료의 고통보다는 정신적인 창피함이 이루 말할 수 없었다.

조금 나아져서 작은 동생 집에 좀 누워 지내시는 바람에 제수의 고생이 이만저만이 아니었다. 제수씨의 어려움을 덜어 드리고자 집사람이 진주로 내려가서 어머니를 모셨다. 어머니가 조금 나아지시자 수원으로 올라가라고 해서 3주일 간병 후 올라왔다.

어머니는 나이 드시면서 무릎 관절에 이상이 생겨 다리를 절고 다녔다. 이를 알게 되어 진주에 내려가면서 보행 보조기를 사 가지고 가서 짚고 다니시라고 드렸다.

아버지가 돌아가신 후 집으로 보내는 돈은 더 많아졌다. 집사람의 금전적 고통도 이어졌다. 아이들은 중고생이었고, 군인 연금을 합산하여 뭉칫돈을 내야 하는 입장에서 부치는 돈도 모자라 간혹 어머니가 막내를 앞세우고 집에 들르면 돈 봉투를 손에 쥐어주어서 보냈다. 장남으로서 부모에게 받은 것은 몸밖에 없는데 어려운 사정은 장남이라는 이유 하나만으로 묻혔다. 지금도 동생들이 한 것은 어렵고 힘들게 집안을 위하여 도움을 주었으니 잘한 일이고, 내가 한 일은 없다.

가족이 단명(短命)이라 원인이 무엇인지 알아보고 이를 한 번 바꾸어보자는 생각으로 막내를 처음 설립된 '경상대 의대'에 지원하게 하여 의사로 만들었다. 하지만 쓸데없는 진단으로 어머니를 피곤하게만 했고, 막상 응급상황이 발생할 당시에는 한 명도 집에 없었으니 한심한 작태다.

저녁에 갑자기 "아이고 가슴이야" 하시다가 돌아가셨다는 이야기를 들었다. 막상 어머님의 임종도 못 본 모든 자식들은 할 말이 없다. 큰 죄를 지은 기분이었다. 수원에 큰아들이 아파트를 처음 구입하여 이사한 후 한 번 둘러보러 수원엘 오셨다가 진주로 돌아가신 후에 얼마 안 되어 하늘나라로 가시게 된 것이다.

해방과 한국동란의 혼란 속에서 어렵고 힘든 생활을 사신 어머니를 생각하면 가슴이 저민다. 팔 남매의 배고픔을 달래주고 어려운 가정을 꾸려가면서 힘들게 사셨다.

병원에 도착해 보니 아직 시신실로 보내지 않고 응급실에 그대로 누워 있는 어머니의 모습이 편안히 웃고 있는 모습이었다. 1924년에 태어나서 2003년으로 79세에 생을 마감하시는 어머니의 웃는 모습을 보니 말로 표현할 수 없는 회한의 눈물만 흘렀다. 그래도 마지막을 편히 가시길 빌었다. 4일장으로 아버지와 나란히 영원한 안

식처로 보내드렸다. 자식의 도리를 다하지 못한 죄로 벌을 받았는지 모르겠다. 매년 세 번 만나지만 항상 아쉽고 고마운 마음뿐이다.

2장
세 개의 군번이 주는 교훈
1964.6. ～ 1978.5.

장기판의 말

무더운 여름철에는 시골 동네 어귀에 있는 정자나무 아래에서 시원한 모시옷을 입고 장기를 둔다. 장기판의 말을 이리저리 옮기고 "장군아!" 하고 부르면 더위도 도망간다. 감히 장군인데 어디 까불어 하는 생각으로 더위를 쫓아버린다.

그 더운 여름, 나이 18세에 훈련소에 입대하여 휴식 시간이면 고향집에서 가까운 초등학교 은행나무 그늘과 촉석루에 앉아서 책을 보면서 보내던 시절에 느낀 시원한 바람을 생각하면서 키보다 크고 무거운 총으로 힘든 훈련을 받느라 죽을 고생을 하였다. 남들이 하니 나도 할 수 있다는 한 가지 마음으로 견디어 내었다.

군번이 부여되고 완전한 졸(卒)이 되었다. 마(馬)가 되기 위해 또다시 사계절을 보내야 한다. 바닷바람으로 시원하리라는 생각을 안고 부산에 있는 '육군 병기 학교'에 입교하였다. 소년 기술하사관 과정을 이수하기 위해서이다. 마(馬)의 과정은 공부보다는 군기를 세우는 과정이어서 정신적 기압에 악을 쓰면서 버티기 위해 마음을 다잡았다. 하기야 갈 곳 없고 먹을 곳 없는 처량한 몸이니 어떡하든 참아야만 했다.

해병대 교육생들도 우리가 교육받는 걸 보고 어렵고 힘들다는 말을 할 지경이었고, 심지어 중대장이 눈 속에서 포복을 시키거나 엄

동설한에 수영장의 얼음을 깨고 물속에 들어가게 해서 정신을 바로 잡는 행위는 보기도 힘든 일이다. 학교의 다른 교육생들이 머리를 흔들 지경으로 훈련은 혹독했다.

배고픔을 면하기 위해 교육생들이 취사반에 줄을 서서 기다린다. 무쇠 솥 바닥에 눌은 누룽지를 얻어먹으려고 서 있는 것이다. 밥그릇 달랑 두 개. 국 한 그릇, 밥 한 그릇인데, 밥을 피워서 담아 주니 국물을 부으면 반 그릇이 되고, 세 번만 먹으면 다 먹는다. 요즈음은 금값이지만 당시만 해도 흔해 빠진 비린내도 지독한 갈치국, 동태국, 콩나물국으로 먹었다. 너무나 배가 고픈 교육생들은 안타깝게도 버린 잔반의 얼음덩이를 깨어 먹는다. 배고픔이 극에 달한 모습이다. 창피함, 체면, 배고픔 앞에는 아무것도 보이는 것이 없었다. 다행히 우리는 특식으로 도넛이 나와서 그걸로 허기진 배를 달랬다. 당시에는 취사반에 아는 병사가 있으면 최고의 '백'이었다.

육체적 정신적으로 혹독한 훈련을 받고 마(馬)가 되었다. 표창과 함께 새로운 군번도 부여받고 기간병으로서 근무하므로 배고픔은 면할 수 있었다. 식사량을 많이 주어서가 아니라 마음의 여유가 있으니, 그리고 봉급으로 '피엑스'에서 다른 음식물을 사서 먹음으로써 배를 채웠기 때문이다.

이제 장기판에서 두 칸을 넘을 수 있으니 조금의 여유가 있었다. 내가 교육받은 교실에서 조교로 지내면서, 이제 조금 지낼 만하니 자신을 돌아볼 기회가 생겼고, 생각한 끝에 못다 한 공부를 다시 하기로 하고 야간 고등학교에 입학을 하여 부대 통학차를 타고 부산 청구동 산꼭대기를 올라 다니면서 3년을 보냈다. 다행히 부대가 교육기관이라 일과 시간이 철저히 준수되어 오후 여섯 시에는 통학차를 타고 학교에 갈 수 있었다. 학교에 가서 4시간 수업을 하고 밤 열두 시경에 도착하여 내무반에 조용히 들어가 잤다. 대학교에 다니는 김 하사를 부럽게 생각하면서 나도 대학을 가겠다는 마음을 갖기도 하였다.

마(馬)가 이제 포(包)가 되어야 한다. 포가 되기 위한 가장 중요한 자격 증명이 고등학교 졸업장이었으므로 그간 열심히 공부하고 받은 졸업장이 있었다. 군복만 입었다 뿐이지 이제 갓 20살밖에 안된 아직 어린 나이였다.

나중에 사촌동생이 한 말이 생각난다. 자신은 고등학생이고 형님은 군인에다 그것도 하사라서 굉장히 나이 차이가 많이 나는 줄 알았는데 겨우 두 살밖에 안 난 것이 이해가 안 됐다는 것이다. 설명해주면 "형님 고생하셨습니다."로 끝난다.

간부 후보생 시험에 응시하여 합격하였다. 드디어 포(包)가 되기 위한 첫발을 내디딘 것이다. 보병 학교로 입교하라는 명령이 내려왔다. 입교해보니 190명의 피교육생 중 두 번째로 나이가 어리다. 군 생활하고 있는 부사관들 중에서 시험을 보아 합격자를 입교시켰으니 당연한 결과이다. 열심히 훈련을 받았다. 나이도 어리거니와 병기 학교에서 받은 혹독한 훈련 덕분에 그렇게 힘들지 않았다. 그래도 명색이 국제 신사라 자칭하는 장교 과정이라 힘든 훈련은 유격 훈련 과정 외에는 별로 없었다.

16주의 훈련을 마치고 추운 겨울 연병장의 쌓인 눈을 치우고 그 자리에서 임관식을 하였다. 당당히 표창과 군번을 받는 영예를 가졌다. 동생들이 만들어 보낸 꽃다발을 목에 걸고 아버지와 함께 사진을 찍으면서 드디어 포(包)가 되었음을 기쁘게 생각했다. 기일 때 축문을 읽으면 아버지의 기뻐하는 모습이 아련히 떠오른다. 하긴 그때 본 아버지 모습 외에는 돌아가시기 전에 한 번 본 것이 전부다. 인생 장기판에서의 어려운 포(包) 생활 속에서도 매월 받은 봉급의 일부를 보내드리며 나름대로 자식 된 도리는 하였다고 생각한다.

포는 한 사람이 받쳐주면 무엇이든 할 수 있다. 그 한 사람이 아내이든지, 상급 지휘관이든지 상관이 없다. 이제는 차(車)가 되어야 한다.

인생 장기판에서 졸(卒)로 시작하여 마(馬)를 거쳐 포(包)가 되었다. 차(車)가 되기 위해서는 또 다른 노력이 필요했다. 그러나 차(車)는 되지 못하고 포(包)로 종횡무진하면서 10년을 보낸 결과 수십 장의 표창장과 세 개의 군번으로 어느덧 국가 유공자로서 인생 원로가 되었다. 말을 부리면서 장기판을 휘어잡는 인생 원로로서 "장이야! 장을 받아야지" 큰소리치면서 살아가고 있다.

군번 인생

안홍면, 강림면 월남 참전용사 모임에 회원 등록을 하고 처음 참석하던 날, 인사를 하는 자리에서 "나는 병, 부사관, 장교의 생활을 한 사람으로서 나에게는 3개의 군번과 하나의 순번이 있다."라는 말로 인사를 시작하였다. 31년 6개월을 군 생활과 군과 연관된 근무를 했으며 육군 병기 학교에서 시작한 군 생활은 최전방 고지에서부터 월남전까지 그리고 예비군 동대장에 이르기까지 군에서 인생을 보낸 골통 군 출신이다.

먹고 살기 힘든 어려운 60년대, 나는 나이 18세에 소년 기술부사관을 지원하여 부산 병무청의 군 입대 통지서를 받고 단돈 200원을 가지고 군에 입대하여 기나긴 군 생활의 출발점에 섰다.

나의 병 군번은 1964년 6월 22일, 내가 처음 군에 입대하면서 받은 군번으로써 11326***이며 이는 병 교육과 부사관 교육 기간 중 나를 대신하는 것이었다. 제2 훈련소 28연대의 6주간과 후반기 27연대에서 4주간, 그리고 병기 학교에서 소년 기술부사관으로서 1년간의 교육 기간에 병장 대우를 받으면서 가졌던 군번이다.

훈련소 생활은 이루 말할 수 없이 힘들었으나 이것만이 나의 살 길이라는 생각에 그 무거운 M1 소총과 비슷한 키에서 총검술, 각개 전투의 훈련을 이겨내고 부산 해운대구 반여동에 있는 병기 학교에 입교하여 1년간 광학 기재에 대한 교육을 받았다. 광학 기재는 군에서 사용하는 모든 사격 기재로서 쌍안경, 포대경, 팔꿈치포경으로부터 전차의 렌지 와인더(Range Winder)에 이르기까지 군에서 사용하는 렌즈나 프리즘이 들어가는 사격기재를 말한다.

교육 종료 후 부사관 군번 80039***을 부여받고 교육 성적이 우수하여 병기 학교에 좌충(座充) 되어 그곳에서 조교, 소년병 구대장, 병 피교육생 선임하사, 유격 훈련 조교로 생활하면서 부산 시내에 있는 야간 고등학교에 다녀 고등학교를 졸업하게 되었고, 군 장교 시험에 합격하여 광주 보병 학교로 교육을 받으러 가게 되었다.

광주 보병 학교는 전국에서 모집한 현역 부사관 중에서 시험에 합격한 35세 이하만 모아 교육하는 단기 장교 교육 과정으로서 나는 거기서 16주간을 각종 전술과 유격 훈련을 받았으며 엄청나게 힘든 과정을, 나이가 어려서 나이 먹은 다른 동기생보다는 쉽게 받았다고 생각한다.

광주 보병 학교 교육 16주를 받은 후 1967년 12월 9일 우수한 성적으로 소위로 임관되면서 세 번째 장교 군번인 248***를 부여받고, 우리나라에서 동에서 서로 네 번째 부대인 최전방 15사단 38연대 2중대 1소대장으로 부임하여 근무하였다. 38선을 넘어 최전방 벽난로가 타고 있는 곳, 통일화를 꿰매어 신고 짚으로 방한화를 만들어 신었으며, 주머니에는 디디티를 넣어 사타구니부터 옆구리까지 차고 다녔다. 마치 거지들의 집단인 것처럼 보였는데, 당시 군의 실상을 요즈음 생각해보면 어떻게 그 당시를 보냈는지….

나의 소대는 연대 사고자 소대로서 각종 사고자만 모아놓은 곳이었다. 군용물 절도범부터 탈영에 이르기까지 각종 사고를 내고 온 사람들로 구성된 소대이다. 이들을 나는 21살의 젊은 혈기와 계급으로 제압하여 이끌어 나갔다. 겨우내 비상 도로 제설 작업과 화목 작업으로 보내고 봄부터는 산뽕잎 따서 누에 키우기를 하다가 무장공비 김신조 침투 사건으로 인하여 도로 주변 500m, 즉 소총 유효 사거리 이내 있는 나무는 모두 베어버리는 작업에 투입되었다. 전방 벙커 공사로 새벽부터 밤까지 삽과 곡괭이 하나로 공사를 하던 힘든 시절을 지내고 나서 최전방 203 경계 초소에 근무하는 동안 소대원 2명을 불의의 사고로 하늘나라로 보내야 하는 가슴 아픈 일도 있었다.

1주일에 1회 실시하는 대북방송 시 올라오는 여군 방송 요원들의 보호 작전으로 인하여 밤을 세운 일, 북한 침투 공작 요원을 안내하기 위하여 군사 분계선까지 함께 가던 일, 특히 후방 명령을 받고 헤어져야 하는 소대원들과 '대성산' 벙커 안에서 막걸리를 한잔하면서 그간 지나온 일들을 회상하면서 서로를 위로하던 일도 잊지 못할 추억이 되고 있다.

세월은 흘러 군 생활을 마치고 1978년 5월 31일부로 전역하였다. 그 후 민간인으로서 생활하게 되어 처음 회사 생활을 하다가 회사가 부도나고 어려워져서 "송충이 솔잎 먹고 산다"라는 말이 있듯이 군과 관계가 있는 군무원에 지원하여 어려운 시험을 거쳐 1982년 4월 1일 순번 A705***으로 5급 군무원으로 임용되었다. 군무원으로 18년이란 세월을 보내고 1999년 9월 30일 다시 한 번 사회로 복귀하게 되었다. 이제는 새로운 제2의 인생을 살아야 한다. 나는 어려운 생활 속에서도 연금을 합산하여 연금 수급자가 되어 편안하게 살 수 있게 된 것이다.

어쩌다 보니 내가 굶주림을 면하고 살아가기 위해서 어쩔 수 없이 택한 군 생활이었지만 항상 최선을 다하는 생활을 함으로써 3개 군번과 순번을 가지게 되었고, 나는 그러한 인생을 자랑스럽게 생각한다. 내 군번의 숫자는 배열이 아름답게 되어 있어 암기하기 좋고 행운을 가져주는 숫자들이기도 하다. 요즈음 친구들 모임에 나가면 이제는 지나온 나의 어려웠던 군 생활을 자랑하곤 한다.

나이 칠십을 넘기고 나니 군번 3개와 순번을 가지게 된 나의 인생사가 우리나라의 현대사를 그대로 투영(投影)한 모습이라는 생각이 들면서 다시 한 번 오늘까지 살아있음에 감사하며, 운명(運命)을 달리한 전우들을 생각하게 된다.

송 일병

걷기를 하다 보니 '펀치볼' 둘레길 걷기를 카페 회원들과 함께하게 되었다. 펀치볼의 둘레길을 걸어갔다. 최전방 철책선의 전망대에 올라 군사분계선을 바라볼 수 있는 기회가 주어졌다. 전방을 바라보니 신임 소위로 50여 년 전 최전방에서 근무하던 시절의 기억이 떠오른다. 돋보기 속에만 있던 낡은 자동차가 먼지를 일으키며 또아리 언덕을 막 지나오듯, 시간의 저편에 묻어두었던 희뿌연 추억 하나가 시나브로 다가온다.

김신조 일당의 청와대 기습 사건으로 인하여 군대 내에서도 많은 변화를 가져왔다. 최전방 북괴군과 대치 중인 우리 부대는 도로 옆 500m까지 소총 유효 사거리 이내에 있는 나무를 모두 베어버리는 사계(射界) 청소를 하는 한편, 병사 중 문제가 있는 오줌싸개. 무학자 (無學者)들을 심사하여 전역시키는 병영 정화 운동도 병행하였다.

"군대 언제 왔느냐?"고 물으면 "보리 베다가 왔다"라고 답변하는 병사, 휴가를 가야 하는데 주소를 몰라 찾던 중 팬티를 벗기니 사타구니 작은 주머니에서 지린내 풍기고 땟국물이 배인 종이에 연필로 쓰인 주소를 찾아 인사계가 데리고 휴가를 다녀온 병사, 아침 기상 시간에 일어나지 않고 있다가 주번 사관이 발로 걷어차 일으켜

세우면 매트리스에 오줌을 싸놓고 겸연쩍게 일어나던 병사, 밤중에 갑자기 입에 거품을 내면서 몸을 비틀고 내무반 통로에 쓰러지던 간질 환자인 병사, 모두가 전역하는 바람에 소대원도 줄었다.

다 헤진 작업복에 기워 신은 통일화며 파란 해군 작업복 상의를 걸치고 소대장이라고 초록색 견장을 달고 숙영지에서 10킬로를 걸어서 공사장에 도착하였다. 그날의 할당량이 정해졌다. 각종 소대, 분대, 단위 벙커 공사를 하면서 작업 할당을 받아 '샛별 보기 운동', '백 삽 뜨고 허리 펴기 운동' 등, 북한에서 사용하는 용어를 작업할 때 적용해서 삽과 곡괭이로 벙커의 모형을 흙을 파서 만들고 시멘트 콘크리트를 형틀에 비벼 부어서 벙커를 만들었다. 우리 소대는 다른 중대 할당량만큼을 작업하였다. 사고자 소대이긴 하지만 소대원들의 힘이 장사였다. 대대장과 연대장이 심심하면 소대 작업장에 오셨다. 일을 잘하니깐 보기 위해서다.

어느 정도 공사가 끝난 후 신원 조회를 거친 후 아무런 이상이 없는 23명을 데리고 중동부 전선의 최전방인 203 GP(일반 경계초소)에 경계근무를 하게 되었다. 관측소 운영으로 주간 근무를 하고 야간에는 전원 2교대로 초소 근무를 하면서 대적 심리 요원이 대북방송을 하였다.

대북방송 요원으로 상주하는 남군 두 명 외에 여군 두 명이 매주 수요일에 올라와서 방송하고 내려가는 일이 반복되었다. 어느 날인가 적 상황이 좋지 않고 안개가 갑자기 끼게 되어 복귀를 못하고 초소에서 잠을 자게 되었는데 방송 요원과 나는 여군들을 지키느라 한잠도 못 잤다.

북괴군과 접전 상황이 자주 발생하여 초소 정문에 수류탄 부비트 랩을 설치해놓고 개인 근무호 앞, 보급로 교차 삼거리 지역에는 크레모아를 설치하고, 적이 접근 가능한 지역 통로에는 조명 지뢰와 진동감지기를 설치하여 적의 흔적을 사전 탐지하려고 노력하였다. 간혹 노루에 의해 크레모아가 폭발하여 놀라게 하는 일도 있었다. 죽은 노루는 중대로 보냈는데, 그런 노루는 재수 없다는 말이 전해 오면서 아예 먹지를 않았다.

경계초소에서 사용하는 물은 고지 아래에 있는 우물에서 도르래를 이용하여 물통으로 물을 퍼서 사용했다. 식량 보급은 중대로부 터 일주일분씩 받아서 취사해서 먹었다.

광복절을 하루 앞둔 그날은 처음으로 보급된 M14 플라스틱 발목 지뢰를 초소 정문에 설치하기 위하여 지상에 있는 식당에서 조립하 게 되었는데, 조립하던 중 아군 초소 정문에서 폭발음이 났다. 깜짝 놀라 나가 보니 송 일병이 쓰러져 있었다.

수류탄 부비트랩을 설치하는 과정에서 분대장인 윤 하사와 서로 사인이 안 맞아서 수류탄 핀이 빠진 것을 수류탄 손잡이를 잡으려 고 하다가 두 팔과 두 눈이 완전히 공중분해된 상태로 숨을 거두었 다. 송 일병이 모든 파편을 안고 가는 바람에 바로 뒤에 서 있던 윤 하사는 아무런 이상이 없이 정신만 멍하게 서 있었다. 내려가서 끝어안고 흔들어 보았으나 아무런 반응이 없었다. 중대, 대대 상황실에 보고하여 조치하도록 하였다. 시신을 끌어안고 많이 울었다. 난생처음으로 시신을 직접 만져보고 죽음을 느꼈으니 말할 수 없이 슬펐고, 이러한 일이 벌어지게 된 북괴에 대한 비분강개를 느꼈다.

북쪽으로 침투하여 적을 죽이고 싶은 강한 적개심이 솟아났다. 오늘 저녁에 가자는 말도 하였다. 당시만 해도 적 쪽으로 아군 특수요원을 침투시켜 적 상황을 탐지하거나 적의 숙소를 기습 공격하여 사살하는 일이 서로 간 자주 발생하곤 했다.

주변 목책 울타리에 흩어져 걸려있는 살점을 위생병에게 모두 거두어 묻어 주라고 지시하고 발목지뢰를 설치한 다음 상황을 정리하였다. 다음날 아침부터 까마귀들이 목책에 앉아서 살점을 먹는 모습이 정말 안타까웠다. 총으로 쏘아 쫓긴 하였으나 무슨 소용이 있겠는가.

송 일병은 전사하였다. 죽음으로 조국의 산하를 지킴으로써 국립현충원에 안장되어 48년이란 세월이 흘렀지만 전우들의 가슴에 영원히 살아 있다. 세월의 흐름 속에 당시의 전우들은 늙은이가 되어 조국 전선의 최일선에서 생활해온 자신들의 모습을 생각하며 다시 한 번 국가 안보의 초석이 될 것을 다짐한다. 송 일병의 명복을 빈다.

망부석

등산을 하다 보면 오래된 무덤을 지나가게 된다. 무덤 주변에 있는 망부석을 보면 42년이 지난 지금도 군 생활 시절에 아주 혼이 난 일이 생생하게 생각난다.

　○○사단 연대 본부 대장으로 재직 중에 일어난 일이다. 사단 사령부에서 연대로 넘어가는 고갯마루 옆 밭에 부부 망부석 2개가 버려지다시피 하여 있었다. 연대장 관사를 새로 고치고 조경을 하던 중에 연대장이 망부석을 가져다가 정원 한쪽에 세우라고 하였다. 그래서 고갯마루에 있는 망부석 한 쌍을 가져다가 정원의 가운데에 보기 좋은 위치를 선정하여 세워 두었다. 몇 달이 지난 후 밭 주인이 망부석을 찾는다는 연락을 받고 정원에 세워둔 망부석을 다시 원래대로 갖다놓기로 하였다.

　망부석을 옮기려 하니 겨울이라 망부석과 지표면의 접착 부분이 얼어붙어 떨어지지 않아 망치로 밑 부분을 두드리며 로프로 망부석의 목을 걸어 차로 잡아당겼다. 남자 망부석은 다행히 지표면에서 떨어져서 옮겨갈 수 있게 되었지만 여자 망부석은 그만 목이 부러지고 말았다. 할 수 없이 같은 모양의 망부석을 구하여 갖다 두어야 하는데 어디서 망부석을 구할 수 있을까 고민하였다.

　우선 경비소대 병력을 풀어 군부대 주변을 찾아 헤맸으나 비슷한 것은 있어도 눈으로 쉽게 다르다는 걸 알 수 있는 모양이라 소용이 없었다. 인사계를 시켜 밤중에 다른 지역의 무덤을 찾아가서 같은 망부석을 구해오라고 했다. 밤중에 몇 명의 병사를 인솔해서 전방 지역을 찾아 헤매던 중 다행히 같은 모양의 망부석을 발견하여 차로 운반한 후 원래 있던 자리에 갖다 두었다. 그러고 나서 목 부러진 망부석과 다른 짝을 차에 실어 사단 뒤에 있는 망월산 꼭대기에 한강 여의도를 바라보도록 세우고 목도 깁스를 해서 정성들여 모신 후 제사를 지내고 잘못을 빌고 부대의 안녕을 빌었다. 본부 대장으로 재직하는 기간 중 명절 때에는 항상 제사를 지내면서 부대 안녕을 빌기도 하였다.

새로운 연대장이 부임하면서 본부 대장과 인사 주임을 보직 해임시키고 새로운 본부 대장을 임명하여 근무토록 하였다. 어쩔 수 없이 아직 보직 기간이 남아서 작전과에서 전역 준비를 하며 시간을 보내고 있었다. 그러던 중 총기 사고가 발생한 것이다. 9중대장으로 재직할 때 데리고 있던 병사가 본 부대 군수과 탄약병으로 근무하면서 힘든 유격훈련을 받고 난 후 저녁에 내무반에서 선임병으로부터 구타를 당하자 평소 탄약고에 훔쳐둔 탄약으로 구타한 선임병 눈을 향해 한 발을 발사 한 후, 취침하는 병사들을 향하여 총기를 난사하고 자신은 자살하여 9명이 사망한 사고가 발생하게 되었다. 9명 중 한 명이었던 울산이 고향인 김 일병은 취사병으로 근무하는 병사로서 취사장에서 자야 하나 다음날 휴가 출발을 앞두고 동료들과 함께 자고 간다면서 내무반에서 취침하던 중 사망하는 안타까운 일도 있었다.

사고로 인하여 본부대장은 구속되고 연대장은 보직 해임되는 불상사가 발생하게 되어 새로운 연대장 부임과 동시에 다시 본부 대장으로 근무하게 되었다.

사망한 병사들의 화장을 위하여 백제 화장터로 가는 차량 앞에서 연대장이 나의 손을 잡고 미안하다는 이야기를 하였다. 눈물도 흘리면서 안타까운 표정을 지어 보였다. 아마 본부 대장을 바꾸지 않았더라면 이런 문제는 발생하지 않았으리라는 생각을 한 것이 아닌가 추측해본다.

제일 먼저 망부석에 가서 엎드려 절하면서 안녕을 축원하였다. 새로운 연대장에게 이야기하여 명절에는 꼭 찾아보도록 하였다. 많은 병사가 사망하고 부대의 사기가 극도로 땅에 떨어지는 것을 막기 위해서라도 무언가를 해야 하는 마당에 망부석에 부대의 안녕을 기원하는 것은 어쩔 수 없는 인간 능력의 한계에서 나오는 자연스러운 현상이라는 생각이었다.

다른 부대로 전출되어 연대를 떠나고 연대장도 바뀐 후에 또다시 동계 훈련 시 취침 호에서 불이나 5명이 사망하는 사고가 발생하였다. 사단장은 연대 교체를 통하여 ○○연대는 두 번 다시 현 주둔 지역으로 못 오도록 하였다는 이야기를 들었다

전역 후 길에서 우연히 ○○사단 표식을 한 병사를 만나 "망월산

에 있는 망부석에는 제사를 지내냐?" 하고 물어보니 사단장님이 직접 지낸다는 것이다. 아마 망부석이 부대의 안녕을 지켜주는 수호신으로 인식하게 되어 군부대의 안전을 기원하는 것으로 생각된다.

'망월산'에 세워둔 망부석의 숨겨진 사연을 생각하면서 집단생활에서는 가장 중요한 문제가 안전이므로 일일 점검 등을 통하여 예방하지만 우리가 생각지도 않은 미신적 요소도 간과할 수 없는 요인이라는 점을 알 수 있었다. 그 후 매년 현충일이면 국립묘지를 찾아 당시 사고로 순직한 전우들의 명복을 빌곤 했다.

고리짝

아들한테서 전화가 왔다. 내일 집에 있으니 구경삼아 놀러 오시란다. 알았다고 해놓고 가만히 생각하니 벌써 이사가 몇 번째인가 하고 집사람에게 물어본다.

가정생활의 기본이 집이다. 결혼하려면 집이 있어야 한다. 아들도 처음에는 강릉에 있는 아파트를 사들여 신혼살림을 차렸다. 회사가 안산으로 이전하는 바람에 수원 율전동으로, 그리고 다시 회사가 오산으로 공장을 짓고 이전하여, 매탄동으로 전셋집을 얻어 이사했다. 망포동 우리 집 근처로 다시 집을 사서 이사하고, 이번에는 이의동에 집을 지어서 이사하였다. 결국 네 번의 이사를 한 것이다.

아들 집을 구경삼아 가보니 대지 80평에 건평 90평 규모로 외부에서 보면 미술관을 지어 놓은 것 같았다. 3층 건물로서 주변의 다른 단독 주택과 그런대로 어울리게 짓긴 했다. 아직도 주변에 많은 건물을 짓고 있었다.

중앙에 정원을 만들어 계수나무와 회화나무를 심었다. 약간의 꽃도 심었다고 했다. 내년 봄이면 보기 좋은 정원이 될 것이다. 이동통로가 긴 것이 흠이긴 하나 통로에 적당히 시화를 걸면 오롯이 미술관 같은 모양이 될 것이다.

이사할 때마다 부모로서 이사비를 주었고, 망포동 집 살 때는 꽤 큰 금액을 주었는데 이번에는 집을 지으면서 금전적 부담과 고생이 많은 걸 알고 있는 상태에서 어떻게 해야 하나 고민이 되었다. 다행히 집이 준공되면 대지 담보를 풀고 집을 담보하여 30년 상환 계획을 세우고 열심히 살아가면 갚지 않겠느냐고 말하긴 한다. 그래도 "우리 집 팔리면 조금 도와줄게" 이렇게 말하고 집으로 돌아왔다.

나도 사는 집을 팔고 경기도 광주에 분양받은 아파트로 내년에 이사해야 한다. 집을 부동산에 내어놓았으나 보러 오는 사람이 없다. 이웃에 새로운 아파트가 분양되고, 입주하는 바람에 아파트가 남아돈다. 아직은 기간이 남아 있긴 하지만 은근히 걱정을 하는 실정이다.

군 생활하는 동안 하숙집 아주머니의 중매로 아내를 만나 장모님의 진주 방문과 집안을 직접 확인한 후에 전주 봉래원 예식장에서 결혼하였다. 신혼 때에는 군부대와 제법 떨어진 농촌지도사로 근무하던 김 씨 집 아래채 단칸방에서 신혼살림을 차려 2년간 생활하였다. 광주로 '고등군사반 교육'을 받으러 가면서 처음으로 이사하여 교육생만 사는 다세대 주택의 방 한 칸을 얻어 6개월을 지내고 다시 최전방으로 이사를 하게 되었다. 이삿짐이라고는 고리짝 2개와 이불 보따리 2개로 구성되었는데, 당시 대한통운을 통하여 근무 지역으로 보내지면 찾아서 사용하게 되어 있다.

방안에 비닐 옷장 하나와 고리짝을 두 개 포개 위에 이불을 올려 둔 것, 작은 밥상 하나가 방안 살림의 전부였다. 요즈음은 군부대에서 관급 아파트가 제공되고 그렇지 않으면 주거 수당을 받고 집을 구해 살면 되며 이삿짐은 특급 수송된다.

나는 먼저 부임하는 부대에 와서 전입신고를 하고 보직을 받은 후 방을 구하고 그 후 처가에 있는 집사람에게 연락하여 올라오는 절차로 이사를 진행하였는데, 이삿짐이 도착한다는 날 집사람이 도착하도록 연락을 하였다. 그러나 집사람은 도착하였는데 이삿짐이 도착하지를 않아서 아기를 안고 주인집에서 임시로 빌린 홑이불 2장으로 이틀을 보내고 다음날 이삿짐을 찾아서 3개월을 보냈다.

부대가 전방 철책선 근무를 위해 이동하니 집사람은 다시 처가로 내려갔다가 방을 구한 후에 올라와서 혼자서 아기를 키우면서 남편이 한 달에 한 번 나오는 정기 외박 나오기만을 손꼽아 기다렸다. 외박 날에는 옷도 깨끗한 군복으로 갈아입고, 북과 마주하고 있는 최전방에서 뛰다시피 걸어오면 한 시간 정도면 집으로 왔다. 젊은 나이에 연애하는 기분으로 힘든 줄 모르고 살았다.

최전방에서 다시 두 번을 옮긴 후 서울 은평구 수색동으로, 그곳에서 두 번을 이사한 후 봉천동으로, 그곳에서 두 번 이사한 후 수원으로, 수원에서 세 번 이사한 후 세류동에 정착하였다. 아내는 남편의 근무지에 따라 이사를 했다. 빈번한 이사로 인하여 이삿짐은 줄어들어 몇 개의 고리짝이 전부가 되었다. 이사 요령이 숙달되어 쉽게 한다. 그때는 이삿짐센터가 없는 시절이라 미리 보따리를 준비하였다.

수원역 앞에 있는 세류동에 처음으로 이십 평 규모의 이층 단독주택을 전세를 끼고 사 이십 년을 보냈다. 어려운 사람들이 모여 사는 동네일수록 인정은 많아 이웃 사람과는 지금도 친밀하게 지낸다.

아들과 집사람의 등쌀에 못 이겨, 아파트 관리비가 월세로 인식되어 반대하던 망포동 아파트를 청약통장으로 사들여 수원에서의 마지막 이사를 했다. 망포동에서 15년을 보내고서 오래되어 수리할 곳도 많고, 강림 시골과도 가까울 뿐 아니라 금전적 부담도 없는 경기 광주에 아파트를 분양받아 이사하려고 집을 내놓았다. 원래 성격상 바꾸는 걸 싫어하고, 한 번 정하면 끝까지 그대로 이행하려고 하는 보수적인 성향이다. 그러니 이사하는 걸 당연히 싫어한다. 그러나 군 생활이란 것이 1, 2년의 보직이 끝나면 다른 보직을 부여받고 근무하는 형태이므로 어쩔 수가 없었다.

인생을 살아오면서 가정을 지키고 부부의 정을 가꾸어 나가기 위해, 아내는 군 생활에서의 단칸방 생활과 최전방 '대광리'에서부터 수원까지 남편을 따라 이사를 했을 것이다. 아내의 고생에 미안함밖에 없다. 이제는 노인 요양원에 입소하는 마음으로 내 인생에서 마지막 이사를 한다.

3장
힘든 어려움 이겨내고
1978.8. ~ 1982.3.

감초 생활

군 생활 14년을 하는 동안 상관과 부하에 이르는 상명하복으로 생활하다 보니 인간적인 유대관계보다는 계급과 직책에 따른 업무적인 관계로 지내왔다. 사회에 나오니 막상 군에서 말로만 듣던 인간적 관계를 맺어주는 요소인 혈연, 학연, 지연에 얽혀 조직이 구성되고 운영되고 있음을 피부로 느낄 수 있었다.

전역 후 서울에서 지역 동원 예비군 중대장으로 근무하던 중 D회사의 중대장 모집 공고문을 보고 지원서를 제출하였다. 1개월이 지나도 아무런 소식이 없으므로 불합격된 것으로 알고 지내고 있었다. 그러던 어느 날 D회사 한 이사란 분이 나를 찾아왔다. 한 이사는 "D회사에 채용되었으니 내일부터 출근하라"고 하면서 공장장이 학교 선배이자 동향이란 점을 이야기했다. 또한 사장의 친형님 되는 분이란 점도 말했다.

당시에는 직장 중대장이 대우도 좋고 어느 정도 장래가 유망하므로 다음날 '화성시'에 있는 공장을 찾아갔다. 공장으로 들어가는 입구는 국도에서 500여 미터 산속 소로를 따라 들어가야만 공장 정문이 있었다. 앞으로 이 길을 따라 출퇴근해야 했다. 이제 본격적으로 회사원으로서 사회의 일원이 되는 것이다.

공장장이 반갑게 맞이해 주었고, 고향에 대한 이야기와 학교에 대한 서로의 추억을 나누는 시간을 가진 후 대략 업무 내용을 설명해주었다. 다음날 서울 본사로 가서 회사의 새마을 과장 겸 예비군 중대장으로 보직된 사령장을 난생처음 받고 사장을 만나 고향 이야기며 군 생활 이야기를 나눈 후 공장으로 내려와서 근무를 시작하였다. 나중에 안 일이지만 사장은 의무병 출신이었다. 자신의 군 생활 중에 중대장이었던 K부장을 예비군 중대장으로 모셔 와서 같이 근무하다가 승진을 시키는 바람에 새로운 중대장을 선발하게 된 것이다. 처음에는 P씨를 같은 성씨라고 중대장으로 채용하여 근무케 하였으나 훈련 중 사원들과의 갈등으로 인하여 퇴직하게 되어, 동향이자 학교 후배인 나를 H이사를 시켜 데려오게 한 것이다.

회사는 사장을 정점으로 동생이 전무, 형님이 공장장인, 가족 중심 체계의 회사로서 주요 보직도 친인척으로 채워져 있었다. 특히 '자재과'에 근무하던 사장 사촌 조카는 회사가 어려워지자 부정을 저질러 많은 돈을 갖고 도망간 일도 있었다. 생산 현장에는 학연을 중심으로 상무의 출신 대학인 H대와 다른 L대로 양분되고 항상 서로 간 갈등을 유발하고 있었다.

군 출신인 나의 경우는 학연이나 지연은 공장장과의 관계밖에 없음으로 오직 공장장과의 유대관계가 중심이었다. 다른 간부 사원들의 경우에는 나이가 많고 사장 형님이고, 술을 좋아하는 것 등으로 인해 같이 지내는 걸 꺼렸기 때문이다. 그러니 술친구는 나밖에 없었다. 일요일에는 공장장의 동생 한 분이 이천에서 운영하고 있는 농장에도 차량을 운전하면서 함께 가야 했다. 시간이 나면 불러서 고향 이야기를 서로 나누거나 회사 돌아가는 이야기를 들려주길 바랐다.

회사에서 하는 업무는 주 업무인 예비군 중대장 외에도 부가적 업무로 보일러실, 변전실, 용접실, 식당 관리, 새마을 금고, 목공소, 경비실의 경비 업무 관리. 차량 관리 등 회사 내의 알아주지 않는 부수적 업무는 모두 떠맡은 상태로 근무를 하였다.

경비 업무는 예비군 중대장이니 당연한 부가적인 업무이고, 간부로서 운전 면허증을 가진 사람은 나뿐이니 차량 관리를 맡아야 했다. 배관 및 열 관리 자격증을 소지하고 있는 걸 공장장이 알고 나서 보일러, 변전실, 용접실, 업무도 맡게 된 것이다. 자격증도 중요한 요소이긴 하지만 동향이고 같은 학교 출신이니 신뢰감이 있다는 게 큰 이유였다.

새벽에 출근하여 공장 들어오는 길 쓸기부터 시작하여 식당과 목공소를 한 바퀴 돌고, 새마을 구판장을 확인한 후 사무실에서 일상 업무를 시작한다. 퇴근 후 술 시중까지 한 후 밤 한 시경이 되어야 집에 돌아오는 경우가 많았다. 그렇게 하는 생활이 사회생활인 줄 알았다.

회사의 어렵고 지저분하고 알아주지 않는 업무와 나이 많은 분들만을 관리하면서 업무를 수행하다 보니 지시만으로는 업무 수행이 어려워 인간적인 유대관계를 앞세운 업무를 하였다.

식당 아주머니의 생일을 챙기거나 목공소 이 씨 아저씨 아들 결혼식에 참석하거나, 자주 술자리를 만들어 소통의 기회를 만들고 서로를 이해하는 가운데서 가족적인 분위를 조성함으로써 인간적인 관계의 참모습을 앞세운 업무를 하다 보니 업무의 능률성과 효율성 측면에서 많은 도움을 받기도 하였다.

회사가 초기는 호경기였으나 가족 중심 운영으로 인한 폐해와 화재로 인하여 어려워져서 결국 부도가 나고 말았다. 각자 살길을 찾아 뿔뿔이 헤어졌다. 어려운 환경에서 함께 고생한 사람들 가운데에서도 보일러실 K실장, 변전실의 B기사 그리고 G대리는 그 당시 맺은 인간적 유대관계로 40년이 지난 지금도 즐거운 만남을 이어가고 있다.

술 한 잔

눈 온 날 오후에 "하 사장 술 한잔하지"라고 전화가 온다. 시골집에 내려와 있으면 동네 친구인 장 반장이 술을 권한다. 안면 경련이 아직 덜 나아서 술을 못 먹는다고 말하면서도 마음은 그리 편치 않았다. 옛날 술 한창 먹을 때였던 전역 후 회사 생활할 때가 자동으로 회상되기 때문이다.

　회사 퇴근 시간이 가까워오면 구 대리가 술 한잔 먹을 계획을 세워두고 나에게 같이 갈 것을 이야기한다. 항상 함께 술 먹는 멤버는 보일러실 전 실장, 변전실 배 기사, 그리고 구 대리하고 나, 네 명이었고, 함께 모여서 이런저런 회사의 어려운 경영 문제, 특히 인간관계의 얽힘에 대해 대화를 나눈다. 생산 현장에서 갈등을 유발하는 'H대'와 'Y대' 출신 간의 인맥에 대해 토의를 하면서 갑론을박하고 술안주로 삼는다.

　회사에서 급료는 적게 주면서 사원들끼리 먹는 단합주는 영수증 처리를 해주었다. 그래서 술은 단합의 의미도 있지만, 급료 대신 회사로부터 받는 서비스이기도 했다. 처음은 회사 앞 목로주점에서 간단히 한잔하면서 출퇴근하는 직공들의 모습을 이리저리 살핀다. 누구와 같이 가는지, 무엇을 들고 가는지 등 일종의 감시 체계를 가동하는 것이다. 어느 정도 술을 마신 후 나만 운전할 수 있는 가장 오래된 고물차 '브리사'를 운전하여 시내로 간다. 역 앞에 있는 단골 식당으로 가서 이차로 식사 겸 술 한잔을 더 마신다.

삼차는 노래하는 술집으로 간다. 한번은 약간 술에 취하여 노래도 부르고 즐겁게 놀다가 집에 갈 생각으로 나오면서 내가 앉아있던 곳에 걸쳐 있는 옷을 내 옷인 줄 알고 가지고 나왔다. 직원들과 같이 옷을 뒤져 보니 수갑이 나왔다, 아마 형사가 입던 옷인 것 같았다. 다시 갖다 둘 수는 없고 주변 쓰레기통에 그냥 버리고 갔다.

역 앞 대로를 얼마나 갔을 때 나도 모르게 차가 중앙선을 넘어 역주행하여 택시를 살짝 부딪쳐 버렸다. '에-라 모르겠다. 도망가자' 생각하고 도망가다가 도청 앞 막다른 길에서 잡혀 파출소에 갇혀 있게 되었다. 과장이 파출소에 잡혀 있으니 직원들이 어쩔 줄 몰라 했다.

파출소에 있다 보니 술기운이 올라와 의자에서 졸고 있는데 술 취한 다른 한 명이 고함을 지르고 난동을 피웠다. 내가 이를 막는다고 난리를 피웠더니 경찰관이 어이없는 표정으로 나를 쳐다보면서 그냥 앉아 있으라고 하면서 수갑을 나의 팔목과 의자에 채웠다. 파출소 안에서 고함지르는 젊은이에게 좀 조용히 하라는 말밖에 안했는데, 수갑 찬 느낌이 죄인 같았다.

경찰서 교통 계장인 고향 선배에게 전화해서 사정 이야기를 하고 도와달라고 했더니 마침 오늘이 당직이라고 하면서 바로 파출소에 와 주었다. 파출소 직원들에게 이야기하여 내일 파출소에 인사하기로 하고 집으로 가라고 했다. 물론 그전에 택시기사와는 합의하였기 때문이다. 잡혀있는 동안 술이 깨어서 직원들을 집까지 태워주고 집으로 돌아왔다.

다음날 약간의 금전을 마련하여 파출소에 가서 인사를 하니 "어제는 무슨 술을 그리 많이 드셨나요?" 하는 훈계를 들었다. 고맙다는 인사치레를 하고, 차 한 잔을 얻어먹고 회사로 돌아왔다.

70년대까지만 해도 음주 단속이 없었다. 요즈음 같으면 누가 이야기해도 통하지 않고 구속되었을 것이다. 교통 계장은 용돈 떨어지면 회사로 와서 학교 선배인 공장장에게 가서 용돈을 받아 갔다. 다른 곳으로 전보되어 갔어도 계속 회사 방문은 잊지 않았다.

공장장이 부르셨다. 공장장은 사장의 형님이고 나의 학교 선배이면서 같은 지역 출신이라 가장 중요한 나의 후원자였다. 일본 '조총련'계에 몸담고 있다가 귀국하여 동생들 덕분에 이곳에서 생활하고 있었다. "하 과장 오늘 특별한 일이 없으면 같이 나가지" 하고 말씀하신다. 회사 내의 운전 가능한 간부는 나 외는 없었다. 그래서 차를 운전하여 가야 할 때나 회사의 비밀스러운 이야기를 나눌 때는 나를 부른다.

일식집으로 갔다. 비싼 일식 요리를 팔아 주는 단골이 왔으니 종업원들이 아양을 떨면서 반겼다. 이런저런 회사 경영 이야기와 사람과의 관계, 인물 탐색을 하면서 간혹 고향과 학교 이야기를 양념으로 술을 먹었다.

아침부터 미리 약속이 들어왔다. 저녁은 식당 김 씨 아주머니 생일이니 다른 약속 하지 말라고 당부를 했다. 생일 선물을 준비하고 사무실 여직원들과 함께 아주머니 댁을 방문하여 생일을 축하하는 술을 거나하게 한잔하면서 즐거운 시간을 가졌다. 어려운 곳에서 묵묵히 일하고 계시는 식당 아주머니들에게 감사를 표하며 함께 참석한 영선반, 경비실 근무자분들도 위로하면서 단합을 위하여 술을 권했다.

지금 생각하면 있을 수도 없는 일이지만, 그 당시에는 서로 간의 소통으로 인간적 관계를 유지함으로써 사람 사는 보람을 찾을 수 있었다. 회사에서의 술자리는 계속되었고 나로 하여금 새로운 삶의 길을 가게 하는 버팀목이 되었다. 집에서 새벽까지 기다리는 아내는 기다림에 지쳐서 목이 빠질 지경이었을 것이다. "술도 음식이고 밥이다"라는 생각으로 그 시절은 그렇게 사는 것이 정답인 줄 알았다.

용기 있는 행동

회사는 어려웠다. 연일 새벽에 간부들을 비상소집하여 회의하면서 그만두고 나가라는 소리는 대놓고 하지 못하고, 회사 조직이 '피라미드' 구조여야 하는데 항아리 구조가 되었다는 것으로, 새벽 출근이 힘들면 그만두라는 사직을 유도하는 회의 소집을 3주간이나 계속하였다. 서울 본사 근무자 중 몇 분이 사직하고서는 조용해졌다. 또한 일체의 불필요한 관리비는 줄이라는 사장님의 호령이 떨어졌다.

사장 형제의 고향에 계신 어른들을 모셔다가 공장 견학도 시키고, 이만큼 회사도 키웠다는 자랑을 하기 위하여 공장에 인접한 사택에서 식사자리를 마련했다. 그런데 식사하는 자리에서 공장에 불이 났다는 연락을 받아 사장이 허둥지둥 나와서 어쩔 줄을 몰라 했다. 불은 '정밀기기부' 사무실에서 시작되었다. 퇴근 전에 모여 잡담을 나누면서 여직원이 피던 담배꽁초를 휴지통에 버리는 바람에 발화되어 각종 시너류에 옮겨 붙는 바람에 공장 전체가 화염에 휩싸였다. 소방차가 오고 직원들이 불을 끄고 하였으나 결국 공장은 거의 전소되었다. 더구나 화기를 다루는 공장이었으니 처음부터 소화시킨다는 것은 어려운 일이었다고 생각한다. 화재보험에 가입도 안된 상태라 회사는 급격히 수렁 속으로 빠져 들어가 부도 선언하는 날만 기다리고 있었다. 그러니 직공들 월급은 밀리고 식당 운영비도 외상으로 해결하는 상태였다. 그동안 공장장이 먹은 술값을 갚지 않아서 술집 마담이 술값 받으러 찾아오면 공장장은 피하고 나와 구 대리가 곧 지급하겠다는 약속을 하고 돌려보내기 일쑤였다.

결제 전표는 쌓여 있었고, 사장 결재를 받아야 돈을 지급하는데, 서울 본사에서 내려보내는 공장 운영자금은 줄어 어려움은 커져만 갔다. 그러던 중 마침 사장이 내려온 걸 알고 그동안 미루어 오던 사장 결재를 받으러 아무런 생각 없이 결재판을 가지고 들어갔다. 사장이 결재판을 훑어보더니 집어던져 버렸다. 술 대금 결재이니 속에서 아마 열불이 났을 것이다.

주섬주섬 주워 밖으로 나오는데 "불이야" 하는 소리가 났고, 용접반에서는 어쩔 줄을 몰라 했으며, 불은 '아세틸렌' 탱크에 역화되어 세차게 지붕을 뚫고 올라가고 있었다. 모든 사람이 구경만 하고 있었다. 어떻게 할 수가 없었다. '아세틸렌'이 가열되고 옆에 있는 산소통의 산소가 보조하면 큰 폭발이 일어날 수 있었다.

아세틸렌 통이 파편이 되어 사방으로 흩어지면 주변 사람이 죽거나 다치게 된다. 사무실에서 무조건 뛰어내려갔다. 소화기를 들고 불 속으로 접근하여 탱크에 쏘아대면서 '아세틸렌' 통을 쓰러뜨려서 소화를 하였다. 생각보다 쉽게 불이 꺼진 것이다. 사람들이 웅성거렸다. 무모한 행동이라고 비난하였거나 용기 있는 행동으로 평가하였을 것이다.

용접반 이 반장과 함께 뒷정리를 하고 사무실로 돌아오니 사장이 찾는다는 연락이 왔다. 사장실로 들어갔다. 던진 결재판을 다시 가져오라고 했다. 결재판을 챙겨 가니 조금 전에는 미안하다면서 불을 끄는 것을 보고 마음을 바꾸었다고 한다. 고맙다는 말과 함께….

공장장의 답답하던 숨통이 터졌다. 전표 결재가 되었으니 외상 술값을 갚게 되었기 때문이다. 역화하여 발생한 불을 용기 있는 행동으로 끄고, 전표 결재도 받고, 평소 군 출신이라면서 안 좋은 생각으로 대하던 정 과장도 "어! 하 과장 대단해" 하면서 반칭찬을 했다. 그 일이 있은 후 사장님도 생각을 바꾸었는지 자주 만나 대화하기를 원했다. 공장장은 말할 것도 없이 고마운 마음을 갖고 나를 대하니, 오랜 군 생활을 통해서 몸에 밴 위기 대처 능력 덕분이었다. 용기 있는 행동으로 인하여 원래 법적 필수 요원이긴 하지만 사직 대상에서 제외되었다고 생각해도 무방할 것이다. 어려운 회사의 사정이 해소되고 잘나가던 시절로 다시 돌아오기를 마음으로 기원했다.

윗물이 맑아야

군 생활을 하였기 때문에 애들과 함께 지내는 시간이 거의 없었다. 그러니 자식 교육은 집사람 몫이었고, 나는 큰소리만 치는 군인 아버지였다. 그래도 아버지로서 자식 사랑의 마음은 누구보다도 많았지만, 경상도 남자로서 군 생활하는 사람이 정답게 보이지는 않았을 것이다.

전역 후 군무원 생활을 하면서부터 그러니까 아들들이 중고등학교 시절부터 함께 생활하며 지내기 시작하였다. 내 생각에는 아버지가 지역 예비군 동대장으로 생활하는 만큼 이를 인식하여 행동도 조심하고 공부도 열심히 한 것 같다.

한편으론 고등학교 교련 교사들 중에는 군 장교 후배들이 많았는데 둘째 아들 학교 교련 교사는 나와 함께 근무도 한 후배 장교였다. 그래서 간혹 아들에게 "아버지 잘 계시느냐?" 하고 안부를 묻는 바람에 학교생활을 모범적으로 안 할 수가 없었을 것이다.

생각나는 아들들과의 추억은 야간 보충수업을 하고 나오는 큰아들을 마중하러 학교 앞에서 기다리는데 같이 오는 학우가 "야! 앞에 있는 썩은 차가 누구 모시러 왔냐?"고 농담을 하니 "야! 이 새끼야 그 차 우리 아버지 차다. 너 이 새끼!" 하고 주먹이 날아갔다. 그 당시 오토바이 90CC에서 겨우 포니2 중고 하나 사서 타고 다니던 시절이라 그렇게 보였을 것이다.

한번은 작은아들 보충 수업 후 데리러 갔는데 비가 너무 많이 와서 시청 앞이 물바다가 되어 차가 겨우 굴러가다가 시동이 꺼져버리는 바람에 꼼짝도 못하고 있는데, 학교에서 나오던 학생들에게 아들 이름을 대고 여기 있다고 전하도록 해서 같이 온 학생들과 함께 차를 밀어 겨우 시동을 걸어서 집에 온 일이 있다.

밤늦게까지 하는 보충수업 끝나기를 기다리면서 어릴 때 제대로 하지 못한 자식 사랑을 하고 있다고 생각하였다. 차속에서 묵묵히 기다리다가 함께 오면서 "공부 좀 되냐?" 한마디로 부자간의 사랑 표현을 했다.

담배는 아버지가 안 피우니 어쩔 수가 없이 안 피는 모양이었다. 물론 책상 서랍에서 담배 개비를 몇 번 발견하긴 했는데 따져 묻지 않고 두고 보자는 식으로 지났다. 술은 집안 내력이니 물 하(河) 씨 치고 술 못 먹는 사람 없으니 잘 먹는다. 요즈음 젊은 사람들은 몸 생각해서 약게 술을 먹기 때문에 걱정할 필요가 없다는 생각이다.

지금 생각이 잘 안 나지만 어떤 사유로 아들들에게 매를 든 적이 있다. 몽둥이로 치는데 큰놈은 그냥 맞고 말자 하고, 작은놈은 맞을 이유가 있어야 맞지 하고 계속 거부하다가 결국 맞았는데 조금 마음이 짠하기도 했다. 그 이후 팔씨름에서 큰아들한테 지고 나서부터는 아예 구타는 생각하지도 못했다 그래서 진술서, 각서, 반성문 등을 받는 것으로 대신했다.

군 생활한 아버지라 아들들이 무서워하는 것은 당연하지만 술 한 잔 먹으면 잠자는 두 아들 사이에 끼어들어가 끌어안고 입 맞추고 하면서 귀찮게 굴기도 하였다. 아들 두 명이 고등학교까지 거의 반장을 하여 집사람이 바쁘게 학교에 들락거리고 시험지 대금도 내었다.

작은놈이 학교에서 패싸움에 말려 경찰서에 끌려갈 입장이 되었을 때 교사들이 다른 학생은 보내고 아들을 보내지 않은 것은 공부를 잘해서이기도 하지만 아버지가 알게 되면 아버지 신상에 어떤 문제가 생기지 않을까 하는 걱정 때문이었다고 한다.

내가 방통대를 다니던 중 3학년 때 3.3학점을 받아 성적 장학금으로 5만 원을 우편환으로 받았다. 내가 장학금을 받았으니 짜장면 먹으러 가자고 해서 전 식구가 짜장면을 먹었다. 그러고 나서 아버지가 장학금을 받았으니 아들들에게도 대학 3학년에는 꼭 장학금을 받으라고 했다. 그랬더니 열심히 공부하여 작은놈은 3학년 때 성적 장학금을, 큰아들은 학군단에서 주는 군 장학금을 받아왔다. 사실 아버지 나이에 대학 장학금을 받았으니 아들들이 열심히 공부 안 할 수가 없었다고 생각한다.

나는 집안이 어려워 정규 교육을 받은 것이라고는 중학교가 전부다. 고등학교는 야간 고등학교를, 대학은 방통대를, 대학원은 행정대학원을 나왔다. 공부에 대해 아쉬움이 많아서 그 후에도 각종 사이버대와 자격시험에 합격하여 공부 못한 나의 욕심을 채웠다.

그런 모습을 보고 자란 큰아들도 회사 취업한 지 얼마 안 되어 건축시공기술사 시험에 합격하여 남보다 먼저 승진의 기회도 가졌다. 작은 아들은 IT 업체를 창업한지 벌써 12년의 세월이 흘러 이제 어엿한 사원 60명이 되는 기업체의 대표가 되었다. 그리고 세계를 누비면서 코리아의 자랑스러운 아들로서 할 일을 한다.

"윗물이 맑아야 아래 물도 맑다"는 속담도 있지만 "자식은 부모를 보고 배운다." 부모의 강직하고 성실한 삶이 자식들의 교육에 나름대로 기여한 것이라 생각한다. 자식 사랑은 그냥 온전하게 감싸고 지켜주는 못난 사랑보다는 강하게 자신을 지켜나갈 수 있는 힘을 가질 수 있도록 채찍질하는 것이 중요하다. 그래야 노년에 웃으면서 남들에게 자랑하고 떳떳하게 살 수 있다.

전분 도둑질

전분의 재료는 옥수수와 밀가루의 두 종류가 있다. 전에 다니던 회사는 밀가루 전분과 물엿을 만드는 회사였다. 화성에서 법랑 냄비를 만들던 회사가 부도나는 바람에 사장은 미국으로 도피하고 사원들은 뿔뿔이 흩어졌다. 그래서 동생의 소개로 전분을 만드는 회사에 입사하게 된 것이다.

밀가루가 인천으로부터 수송되어 들어오는 날은 모든 직원이 달려들어 운반하여 창고로 보낸다. 그곳에서부터 공정상 물탱크의 흐르는 물에 풀어지면서 당분은 골라지고 '구리덴'이라고 하는 밀가루 찌꺼기만 남게 된다. 골라진 당분은 물엿을 만들고 난 후 건조기를 통과하면서 건조되어 전분이 되고, 구리덴은 8톤 차로 옮겨져서 군납하는 된장, 간장 공장으로 보내진다.

전분 제조 시설은 간단하지만 만드는 과정에서 나오는 수질 오염 물질을 제대로 정화하려면 막대한 비용이 들어가야 한다. 정화 시설을 만들어야 하기 때문이다. 문제는 이러한 정화 시설이 눈에 보여 주기 위한 시설로 형식적으로 만들어져 있어 실제로는 무용지물이라는 것이다. 사용하지도 않는 시설이다. 그러니 허연 물이 밤마다 인접 개울을 완전히 덮어서 흐른다. 주민들의 원성도 있고 이곳저곳에서 말이 많았다. 그러면 이들의 입막음용으로 돈을 뿌렸다.

동사무소에 자주 지원금을 낸다. 그리고 각종 행사에 참석하여 음식도 제공한다. 다른 기관에서 찾아오면 별도의 봉투를 주어서 보냈다.

사장은 동생이 잘 아는 진주 중앙시장에서 과자 장사를 하던 분이다. 직원 중 주요 보직은 모두 친인척이고 현장 직공도 모두 고향 사람들로 구성되어 있었다.

상무는 사장의 손위 처남이었다. 부산대 상대를 나온 사람이라 당시로써는 보기 드문 인재였다. 이 분의 하는 일이 사무실에 앉아서 모든 출고 제품의 생산량을 정하고 탈세를 위한 사전 작업을 하는 일이었다. 전분이나 구리덴이 출고되면 실제 출고 전표를 발급해준다. 발급한 전표는 상무 결재를 받으면서 상무는 한 장을 별도로 떼 내어 책상 위에 비치해둔 007 손가방 안에 넣고 계산된 생산량을 적어 새로운 전표를 만든다. 손가방 안에 전표는 실제 출고된 전표이다. 그러니 이 전표를 국세청에서 알게 되면 엄청난 세금이 부과될 것이었다.

국세청에서 소문을 듣고 확인 목적으로 방문하면 신속히 가방을 사장실 옆 창문을 열고 불록으로 쌓아 만든 별도의 창고에 감추었다. 사장은 주로 여의도 증권가에서 일수놀이를 하고 공장은 처남이 경영하다시피 했다. 사장 부인은 세 번째 부인으로 목욕탕을 경영했다. 이렇게 전분 공장은 가족 중심 경영 체계로서 당시의 기업 경영 방식이었다. 어려운 생활을 서로 해결하고 서로 간의 신뢰심도 갖고 비밀 유지도 가능한 경영 체계였다.

수원에서 이곳 부평까지 출퇴근하기가 너무 멀고 어려워 방을 하나 얻어서 생활하였다. 야간에 현장엘 한 번씩 둘러보고, 안전에 이상이 없는지 확인하고 회사 경비 사항도 둘러보면서 순찰을 했다. 경비원 2명도 사장 친척이었다. 얻어놓은 방에서 자다가 한 번은 연탄가스를 마셔 병원에서 치료를 받은 적도 있었다.

근무하는 중에 전 직장에서 퇴직금으로 받은 제품을 가져다가 판 적도 있다. 물건이 그 당시에는 고급품인 법랑 그릇이라 여직공들에게 원가로 파니 금방 다 팔려서 퇴직금을 찾게 되었다.

근무하다 보니 전 직장과 비교도 되었고, 이곳 회사에 대하여 너무 부정적인 생각을 하다 보니 나 자신이 근무하기는 적합하지 않다는 생각을 항시 하고 있었다. 그러다가 마침 예비군 지휘관을 군무원으로 임용한다는 뉴스를 접하고 송충이는 솔잎을 먹어야 한다는 생각으로 예비군 지휘관으로 지원하여 7개월간 어렵게 다닌 전분 제조 회사를 사직하게 되었다. 사직 후 예비군 지휘관으로 근무하면서 회사의 이야기를 수소문해서 들었는데, 전분 만드는데 들어가는 물을 수도 계량기를 통하지 않고 우회관을 만들어 도수를 사용하다가 부평시에 적발되어 많은 벌금을 물고 사장이 구속되었다고 했다. 그 후 사장이 교도소에서 기독교로 개종하였고 지금은 레미콘 사업을 하면서 잘 지낸다는 이야기도 들었다.

전분 회사에서 보낸 7개월을 가만히 생각해보면 장사와 기업 경영은 다르다는 걸 이해하지 못하고 구멍가게에서 하던 방법대로 업무를 하였다. 지나친 금전적 욕심에서 나온 부정인 방법으로 돈을 벌려는 생각이 결국은 자신을 구렁텅이로 밀어 넣는 결과를 가져오게 된다는 것을 배우게 되었다.

4장
강직과 성실의 삶
1982.4. ~ 1999.9.

모난 돌

오늘도 함께 근무하던 오 대장과 함께 매미산 등산을 가기로 했다. 망포역 3번 출구에서 만나서 한양 아파트 옆길을 걸어 경희대 뒷산인 매미산으로 걸어가고 있다. 함께 걸으면서 옛날 예비군 지휘관으로 근무하던 시절에 내가 너무 열심히 근무한 나머지 동료들로부터 미움을 받게 된 일이 생각났다.

군에서 전역 후 첫 직장으로 수원 화성에 있는 회사에 다녔지만 3년 만에 회사가 부도나는 바람에 직장을 잃고 방황하다가 두 번째로 동생이 소개해준 부평의 전문 공장에서 7개월을 고생하면서 직장을 다닌 힘든 경험이 있었다.

지역 예비군 지휘관으로 근무하게 되었을 때였다. 다른 시험 응시자는 대부분이 현역에서 전역한 지 3년 이내라 실기 시험만 보고 채용되는 것과 달리 전역한 지 3년이 지나고 직장 예비군 지휘관도 현재 하고 있지 않은 나는 별도의 필기시험을 보고 합격을 해야 채용되는 케이스였다. 그렇게 어렵게 지역 예비군 지휘관으로 근무하게 되었는데, 이 자리는 봉급을 받는 군무원 5급 사무관으로 채용되는 좋은 직장이었다.

열심히 근무하였다. 군부대에서 실시하는 시험은 물론 사격 대회에서도 일등을 하였고, 각종 시범을 혼자 맡아 실시하였으며, 훈련

성적도 우수하여 매년 예비군의 날과 중요 훈련 후에는 표창 등 일 년에 2-3회의 상을 받으면서 근무하였다.

근무 여건도 좋아서 당시 사단 예민 참모로 근무한 첫 번째 참모와 감찰 참모가 여산에서 함께 근무한 동료였고, 두 번째 예민 참모도 수원 행정 대학원을 다니면서 내가 대학원을 나온 걸 알고 부탁을 하여 학위 논문을 많이 조언해준 사람이었다. 감찰참모도 서울에서 함께 중대장을 하였고 결혼일이 같은 장교다. 사단 참모들의 조언을 들으며 열심히 근무하다 보니 자연히 그분들의 애로 사항도 해결해주는 경우가 많았다.

결정적으로 사단 참모장을 하던 같은 성씨를 가진 분이 연대장으로 부임하고부터 여러 가지의 도움을 받았고, 나중에 사단 부사단장으로 재직하게 되었는데, 감사를 총괄하는 보직이니 보이지 않는 나에 대한 비호가 있지 않았나 하는 생각들을 하게 되었다. 사실은 그분 때문에 이 대장과 함께 육군 감찰에서 나온 감사관에게 진술서까지 쓴 사실은 덮어 두고 그분이 봐주어서 잘되었다는 생각을 가지게 되었다.

지역 예비군 지휘관들은 군 장교이긴 하지만 출신에 따라 함께 행동하는 경우가 많다. 나의 경우는 단기 간부후보생 출신으로 그렇게 많지 않은 사람이 근무하고 있었고, 주로 3사관학교 출신이 주류를 이루었다. 두 번째가 갑종 간부후보생 출신으로 구성되어 지내고 있었다. 출신별로 모임도 있고 단합된 행동도 했다.

H 대령이 육본으로 전보된 후부터 나를 미워하기 시작했다. 제일 먼저 지역별 모임에서 남쪽 출신이 단합하여 나쁜 여론 조성은 물론 관리 대대에 고자질로 근무에 어려움을 주기 시작했다. 그동안 H 대령으로 인하여 피해를 보았거나 나로부터 특별한 혜택을 받지 않은 지휘관들이 선후배 서열을 무시하고 달려들었다. 뒤에서 선임이 조종하니 어찌할 수도 없었다. H 대령 근무 시 나로부터 많은 도움을 받은 사람도 마찬가지였다. 대세를 거스르지 않으려고 하는 것이다. 그렇다고 해서 크게 잘못한 것도 없이 그냥 미운 털이 박힌 것이다. 이런 상황에서 오직 한 사람 오 대장만 나의 입장을 바르게 생각하고 옹호하고 나섰다.

그러다가 세류동에서 연무동으로 전보되어 근무하는데 세류동으로 간 동대장이 사직서를 제출하면서 ○○○ 때문에 근무를 못하겠다고 하면서 사표를 내었다. 3사 출신 지휘관들이 들고 일어나서 난리였다. 이유는 인수인계 시 탄띠하고 수통 피를 가지고 갔다는 것이다. 나는 인수인계를 정확히 하고 왔는데 이유가 되지 않았다. 나를 불러 한번이라도 물어보지도 않고 그만한 이유로 사람을 물고 사직서를 내는 어리석고 심약한 사람이 예비군 지휘관이라니 한심한 생각이 들었다.

그동안 열심히 근무는 하였으나 너무 앞서 나가는 일로 인하여 미운 털이 박힌 것이다. 누군가 뒤에서 조종을 하여 그렇게 했을 것이다. 관리 대대장이 확인해보니 아무것도 아닌 일이란 걸 알고 사직을 말렸으나 그래도 사직을 계속 고집하니 어쩔 수 없이 관리 대 대장도 어이가 없었지만 공개 사과로 끝내자고 하여 그렇게 끝낸 기억이 있다. 내가 부임한 연무동에서 당한 일들을 말하자면 사직 서를 수십 번은 쓰고도 남았을 것이다. 그래도 사회 직장에서 고생 하면서 지낸 일들을 생각하면서 현 직장이 좋다는 걸 알고 참고 참 았기에 연금 합산도 하고, 방통대에서부터 시작하여 대학원도 다니 는 일을 해내었다. 물론 퇴직 후 나에게 인계해준 사람과는 말도 안 하고 지낸다.

퇴직 후 몇 년이 지나고 수원 역전 골목 순대집에서, 세류동에서 사직한 동대장과 한번 얼굴을 마주친 일이 있었다. 많이 후회하는 눈치를 보였지만 이미 엎질러진 물이었다. 인생을 잘못 산 것이다. 현역에서 바로 예비군 지휘관으로 근무한 분들은 현역 근무의 일환 으로 생각하고 근무하는 태도를 보였다. 사회에서 고생하고 시험을 거쳐 임용된 나와는 근본적인 생각의 차이가 있었다.

"모난 돌 정 맞는다"는 속담처럼 너무 열심히 잘하니깐 배가 아팠 을 것이다. 그것이 바로 모난 것이다. 억울하지만 너무 모나게 하면 안 된다는 걸 교훈 삼아 세상만사 둥글둥글하게 살려고 노력하고 있다. 오 대장에게 감사하다는 말을 다시 한 번 전한다.

국가 유공자

나이 먹으면서 주변에 경제적으로 어려움을 겪는 사람이 많다. 다행히 연금 수급자라 그런대로 지내지만 그렇지 않은 경우에는 국가에서 지급하는 각종 혜택을 받고자 노력한다.

월남전에 참전한 사람은 처음에는 월남전 참전용사에서 국가 유공자로 승격되어 참전 유공자가 되었고, 이들의 모임인 안흥면, 강림면 참전 전우회의 회의하는 날 최고의 화재(話材)거리는 단연 참전수당이 올해는 어떻게 되는지였다. 올해에는 8만 원이 올라 30만 원으로 되었다고 한다. 육군 병장 봉급이 40만 원인데 병장 봉급보다 못한 수당을 주느냐, 나라의 부름을 받고 생사를 걸고 참전하여 목숨과 맞바꾼 금액이 이렇게도 적은 것은 너무 하지 않느냐로 하소연들이 시작되었다.

나이 먹으니 각종 질병이 생긴다. 고엽제에 의한 질병에 해당되어 수당을 받는 전우들이 많이 있다. 안흥 전우회의 경우는 30% 정도이다. 이들은 130여만 원을 받고 있다. 그래도 지자체에서 주는 보훈수당이 다른 시군보다 5만 원이나 오른 것은 자랑할 만한 일이다. 이는 현 횡성군 지회장이 군수 출신이라 가능한 것으로 이해된다. 본인이 몇 번 안흥 회의에 참석하여 5만 원을 올려주도록 군수에게 요구하고 군 의원을 설득하여 이루어진 것이라고 자랑삼아 이 야기하였다. 시골에서 45만 원의 돈은 통신비는 충분히 해결되고 회원 간의 친목 도모를 위한 회비 납부는 물론 일 년에 한두 번 가는 관광도 무난히 다닐 수 있는 금액이라 생각한다. 작년에는 정동진 부채길을 걸었다.

월남 참전 유공자보다도 한 급수 위라고 생각되는 것이 국가 유공자이다. 예비군 지휘관으로 재직 중 당한 교통사고로 어렵게 보훈병원 심사에서 그해에 새로 생긴 7급 덕분에 국가 공상 공무원 7급 판정을 받았다.

금전적 보상은 없고, 학교를 국비 지원으로 다닐 수 있는 기회가 있어 이를 이용하여 서울 디지털대와 국제 사이버대를 다니는 혜택을 보았다. 학비는 물론 교재비까지 받으면서 4년간을 다녔다. 그리고 열차 무임승차 연 6회의 혜택도 받았는데, 부산 여행 다니면서 4회 정도 무임승차 혜택을 받았고, 사부인과 함께 제주도에 가면서 국내 항공기 50% 할인 혜택도 받았다. 그 외에도 국가 관광시설 무료 관람과 고속도로 할인 혜택 등 많은 도움을 받고 있다. 더구나 지하철과 버스 무료 탑승은 수도권 지역을 마음 놓고 다닐 수 있는 승차권이다. 다만 7급은 장애인 주차장에 주차할 수가 없어서 아쉬움이 있긴 하지만 어쩔 수 없이 감수하고 있다.

언젠가 통장이 다녀간 뒤로 아파트의 현관문 입구에 국가 유공자의 집이라는 황금 명패가 붙게 되었다. 국가 유공자로서 혜택을 받는 만큼 나도 다른 분들에게 나누어 주어야 한다는 사명감이 생겼다. 나이 먹어서 안 된다는 걸 주변에 어려운 사람을 돕고자 주민자치 센터 '사회복지 위원회'에 어렵게 가입하여 활동을 하고 있다. 불우이웃을 발굴하여 복지위원회의 심사와 토론을 거쳐 이들에게 제공할 수 있는 복지 지원을 하도록 해주고, 요양원을 방문하여 노력 봉사도 한다. 수원시에서 운영하는 요양시설에도 간혹 한 번씩 나가고 있다. 입소자들과 같이 노래 부르기와 종이접기를 하면서 하루를 보내기도 한다.

  국가 유공자의 공상 공무원 7급과 월남 참전유공자로 두 가지 국가 유공자에 해당되어 명실공히 대한민국의 유공자로서 혜택을 누리고 있다. 국가에서 제공하는 혜택을 보람 있게 쓰도록 항상 노력하고 있다.

태극기와 함께

택배기사가 "대강 위치가 어디쯤입니까?" 하고 물으면 우리 집을 찾을 때는 "솔향기 펜션에서 왼편으로 돌아서 오다 보면 왼쪽에 태극기를 달아놓은 집이 보입니다. 그 집입니다."라고 말한다. 택배기사에게 설명할 때에는 태극기가 달려 있는 집을 강조한다.

이곳에서 전원생활을 시작하면서부터 아예 태극기를 달아서 다른 집과 구별할 수 있게 하였다. 농장에도 백천 농원의 간판과 태극기를 달고 무궁화를 심어서 태극기 있는 농장으로 불리고 있다. 얼마 전에는 "프로판 가스통을 새로 바꾸어 놓았습니다." 하는 전화가 왔기에 누가 바꾸라고 했느냐고 물으니 태극기 단 집이라 해서 아저씨 집이 생각나서 바꾸었다는 것이다.

'아닌데….'

그래서 확인해보니 새로 이사 온 김 씨가 집에 태극기를 달고서 태극기 단 집이라 했다는 것이다. 그곳으로 가야 할 프로판 가스가 우리 집으로 오게 되고 다시 배달을 하게 된 사연도 있었다. 그 후로 우리 집은 태극기 단 집으로 부르고, 다른 집은 새로 이사 온 집으로 부르게 되었다. 김 씨에게는 왜 태극기를 달게 된 것인지 물어보지는 않았지만 공무원으로 정년퇴임한 것으로 미루어 유추 해석해 본다.

태극기는 나의 마음속에 있는 나라 사랑과 연관된 일이기도 하다. 60년대 김신조 일당이 청와대 기습을 목적으로 침투하는 등 전방에서 북괴 무장공비가 자주 나타나기도 한 시대에 나는 최전방 GP 경계초소에서 근무하였다. 실제 북괴군과 접전이 많았던 시절, 23명의 부하들과 함께 야간근무를 하면서 지냈다. 이때에 최전방 아군 GP에 달아놓은 태극기는 북괴와 대치 중인 대한민국의 상징이었으며, 우리가 이곳에서 밤을 왜 새고 있는지를 알려주는 간단한 답이었다.

지금도 잊지 못할 일은 부산에서 '가이거'호를 타고 고생하며 항해한 후 일주 만에 월남 퀴논항에 도착하여 부두에 펄럭이는 태극기를 보는 순간 자신도 모르게 눈물이 났던 일이다. 당시의 상황을 지금도 잊을 수가 없다. 열사의 나라 사우디 공사 현장이나 베트남전에 참가했던 분들은 대한민국 태극기를 잊지 못할 뿐 아니라 나라 사랑의 마음을 깊이 가지게 되었다.

오죽하면 "외국에 한번 나가 봐라. 한번 살아 봐라. 그래야 나라 고마움을 알 것이다."라는 말이 있을까. 터키에 갔을 때 바닷가 주변에 펄럭이는 터키 국기를 보고, 미국의 모든 관공서뿐 아니라 큰 건물에 달린 성조기며 심지어 펜션에도 대형 성조기가 걸린 걸 보고 감명을 받고 돌아와서 이러한 외국의 국기 게양에 대한 사진과 함께 대한민국도 그렇게 하자는 취지로 행안부에 건의하기도 하였다.

대한민국이 얼마나 소중한 우리 삶의 터전임을 아직도 인식하지 못하고 자신은 다른 나라 국민인 것처럼 생각하는 사람들이 많다는 것도 알고 있다. 보훈처에서 광화문 광장에 태극기 탑을 세우는 걸 반대하는 나라, 정말 이래도 되는 건지 답답한 마음이 울컥 분노로 치미는 것은 왜일까?

중국의 북경 천안문 광장에서 중국 국기인 오성기의 하기식 행사를 관람하면서 왜 우리나라는 안 되는지 안타까웠다. 우리나라도 옛날에는 전 국민 하기식도 했다. 길을 가다가도 하기식 음악이 흘러나오면 주변의 태극기를 보고 엄숙하게 태극기에 대한 명세를 속으로 중얼거리며 태극기에 대한 경례를 하던 시절도 있었다.

고생하면서 지켜온 대한민국의 상징 태극기를 무덤 속으로 가져가려고, 같이 태극기를 묻어버리려고 한 것을 나중에 잘못인 줄 알고 다시 무덤을 파서 태극기를 꺼내는 어처구니없는 일도 있었다. 국가 유공자분들이 돌아가시면 화장장에서도 태극기를 관에 덮기만 하지 결코 태우는 일은 없다. 태극기로 시신 관을 덮어서 가는, 대한민국의 품 안으로 들어가는, 그런 모습에서 나라 사랑의 중요성을 일깨워 준다.

퇴직 후 아파트 관리소장으로 재직하면서 아파트 주민들에게 태극기 달기를 방송하고 심지어 사진을 찍어서 각 아파트 단지별로 서열을 매겨서 시상하던 시절이 있었다. 물론 입주자 대표회의를 하여 부녀회나 노인회를 통하여 가가호호 방문하면서 태극기 달기를 다짐받고, 새로 이사 온 분들은 관리사무소에서 태극기를 새로 지급하기도 하였다. 우리 아파트가 당연히 1등을 하여 바로 구청장님으로부터 전화와 상을 받아 동대표 회장이 즐거워하였다.

지금도 수원천 매교 다리 부근 개천은 태극기 거리이다. 개천 옆 또는 가운데에 태극기를 달아 놓고 개천 옆 둘레길 옆에는 무궁화를 심어놓아 그곳을 걸어가면서 다시 한 번 태극기에 대한 사랑의 마음을 느낄 수 있다. 또한 요즈음 군인들 팔에 달고 다니는 태극기는 곧 나라 사랑의 상징이기도 하다.

태극기 사랑은 대한민국이라는 나라에 대한 사랑이다. 결코 태극기로 인한 편 가르기는 있어도 안 되겠다. 이는 국론을 분열시키고 나라를 망치는 일이기도 하다. 촛불이니 태극기니 하면서 서로 의견을 표출하는 것은 좋으나 결국은 나라 사랑의 길로 가는 표현의 방법 차이라는 것을 깨달아 상대방을 서로 헐뜯고 국론을 분열시키는 일은 없어야 한다.

태극기가 꽂혀있고 수만 영령들이 누워있는 국립묘지를 한번 가보라. 태극기가 무엇을 뜻하는지, 그분들은 무엇 때문에 그곳에 있어야만 했는지 다시 한 번 생각해보길 바란다. 제발 정신 차리고 시끄럽지 않게 국론을 모아 이 어려운 시기를 단합된 힘으로 헤쳐나가야 하며, 다시 한 번 태극기 앞에서 국가를 위한 나라사랑에 매진해야 하겠다.

현충일이면

현충일(顯忠日)이 다가오면 군 생활 동안 유명(幽明)을 달리한 전우와 부하들이 생각난다. 최전방 경계초소에서 수류탄, 지뢰에 의한 불의의 사고로 숨진 부하와, 월남전에서 베트콩과의 교전 중 숨진 부하, 전우들도 생각나지만 특히 최근 나와 비슷한 나이면서 비슷한 삶을 살아온 두 사람은 잊을 수 없다.

나는 매년 현충일이 되면 집에 조기를 다는 것은 물론이거니와 한 해는 서울 국립 현충원으로, 다음 해는 대전 국립 현충원으로 번갈아 가면서 손녀들과 함께 참배를 다녀온다. 요즈음은 내가 사망하면 가 있을 곳인 이천 호국원으로도 가보곤 한다.

조 사장은 몸이 불편하여 약간 다리를 절면서도 자신의 건강을 지키기 위해 나와 함께 배드민턴을 치던 아파트 단지 내 세탁소를 운영하는 사람이다. 올해는 조 사장의 영현이 안치되어있는 이천 호국원을 찾아가 보기로 하였다. 집사람과 나는 시골에서 현충일을 맞이하여 함께 이천으로 향했다.

조 사장은 나와 동갑으로서 파월하여 맹호 부대에 근무한 참전 국가 유공자로서, 돌아가기 며칠 전 아침에 배드민턴장에서 만나 나에게 이야기하기를 자신은 늦게나마 고엽제 환자로 지정이 되어 등급을 받았으며, 서울의 시끄러운 용산 집도 보상이 나와서 조금

잘살게 되었다고 자랑삼아 말하는 모습이 그런대로 행복해 보였다. 그런 일이 있은 후 며칠 지나지 않아서 조 사장이 자기 집 앞에서 급성 심장마비로 사망했다는 소식을 접하게 되었고, 장례를 치르고 난 후 안장을 위해 이곳 이천 호국원까지 오게 되었다. 그때 와본 이후 10여 년 만에 오늘 조 사장을 보러 가는 것이다.

이천 호국원은 대전이나 서울과 달리 영현을 봉안하는 곳이 아파트 형식으로 되어 있으며 참전 국가 유공자 위주로 묘역을 만들어 안장하는 새로운 시설과 주변 조경으로 잘 꾸며져 있으며, 십 년 전과는 비교도 안 될 만큼 안장된 분들이 많이 늘어나서 산의 정상 방향으로도 많은 분이 안장되어 새로운 영현 봉안함이 생겼다. 이런 걸 보아 세월의 흐름에 장사는 없구나 하는 감회에 젖어 보기도 하였다

오래된 아래 지역보다는 산 위로 많은 참배객(參拜客)들이 가는 걸 보고 있노라니 안장된 지 오래된 영현은 점점 잊히고 새로운 안장자가 있는 곳에서만 참배하는 모습이 보여 안타깝기도 하지만 망각 속에서 살아가는 게 인생 아닌가 생각한다.

우리는 조 사장의 영현이 있는 곳을 찾아서 가져간 꽃으로 헌화하고, 추모 묵념으로 고인의 명복을 빌면서 나의 건강을 도와 달라고 마음속으로 기도를 하였다. 그런데 조 사장의 영현 패(英顯 牌)를 유심히 보니 쓰인 생년월일이 모두 나와 똑같은 게 아닌가. 평소 동갑이라고 했으니 생년은 같을 거라고 생각하고 있었으나 월일까지

같은 점은 놀라지 않을 수 없었다. 몇 번을 보아도 같은 생년월일이라 할 말을 잊고 멍하니 서서 영현 패를 바라보면서 같은 생년월일을 가진 사람 중 한 명은 유명을 달리해서 봉안소에 있고, 다른 한 사람은 참배하러 왔으니 그간 내가 배운 토정비결이나 사주팔자에 따른 운명론은 이렇게 맞지 않고 아무 소용없는 짓이라는 걸 알게 되었다. 그냥 사람들이 즐겁게 살아가도록 희망을 주는 역할을 할 뿐이라는 생각이 들었다.

내 동기생 중에 최 목사는 나와 동기이긴 하지만 나보다 나이가 두 살이나 위이고, 군 생활도 선임이지만 장교 임관을 같이 해서 장교 동기생으로서 서로 신뢰를 바탕으로 친한 사이이고, 열심히 사는 사람 중에 한 사람이었다.

예비군 중대장으로 근무하면서 부부가 교회를 다니기 시작하였고, 부인은 조그마한 문방구를 하면서 90세 노모를 모시고 1남 2녀를 대학까지 공부시키는 성실한 가정 주부였다. 동기생으로도 친하게 지냈지만 모친이 나와 같은 종씨로서 각별하게 모친을 대하는 바람에 서로 친해진 게 아닌가 생각한다.

교회 신자로 시작하여 집사, 장로까지 그리고 대학원을 수료하고 회사 중대장직을 퇴직한 후 목사 안수를 받았고, 교회를 운영하며 담임 목사로서 하느님의 품 안에서 생을 살았다. 장로로 장립하는 날, 그리고 목사로 안수를 받고 첫 예배를 보던 날에는 나도 가족과 함께 참석하여 예배를 보았다. 집안은 모든 형제분이 암으로 돌아가시는 암의 유전적 전이(轉移)가 강한 집안이라 사실 걱정은 했지만 그래도 군 생활로 다져진 몸이라 "나한테까지 그런 불행이 오지는 않겠지" 하고 나에게 말하기도 하였다. 최 목사의 둘째 형님이 암으로 사망하고 2년이 지난 후 최 목사도 발병하여 병원에 입원하였다가 조금 나아지자 본인이 직접 보훈처에 참전 국가 유공자로서 고엽제에 의한 상이 급수를 신청하여 등급을 받음으로써 본인 사망 후에도 가족의 생계에도 많은 도움이 되고 있다는 사실을 나중에 알게 되었다.

그러나 병이 다시 재발하여 병원에 재입원하게 되고 그 후 더욱 악화되어 서울 보훈병원으로 옮겨 그곳에서 치료 중 사망함으로써 다시는 보지 못하지만, 모든 고통을 잊어버릴 수 있는 안식처로서 대전 국립 현충원 장교 묘역에 안치되어 있다.

병원에 입원해 있을 시에 병문안을 갔을 때에는 바짝 마른 체구에 숨도 제대로 쉬지 못하면서도 옆에 있는 부인이 "하봉수 씨 왔어요" 하고 말하자 감고 있던 눈을 뜨면서 나의 손을 잡고 "봉수야 고맙다"라는 말을 숨 가쁘게 하였다. 그 모습을 보고 나는 나오는 눈물을 참으면서 "그래 빨리 건강하기만을 빈다"라는 말과 함께 최 목사의 손을 꼭 잡아주었다.

그간 하느님을 믿고 열심히 기도하면서 살아왔으나 인간의 병(病)·사(死)에는 비켜가지 못하고 하느님의 부름을 받고 하늘나라로 간 후 모친도 5년 뒤 95세의 나이로 자식들 만나러 하늘로 가셨다. 부인은 최 목사가 국가 유공자 상이 3급을 받았으므로 국가 유공자의 유가족으로 국가에서 주는 유가족 수당을 받으며 다시 문방구를 하면서 살아가고 있다.

나 자신도 해를 거듭할수록 살아온 세월의 무게가 무거워지다 보니 점점 힘들어진다. 젊은 시절에 힘든 군 생활과 즐거운 음주가무를 함께 하던 동기생 친구들, 그리고 술 선배님들, 같이 카페서 만나 함께 길을 걷던 힘 있고 점잖은 동파 형, 친목회 총무를 열심히 봐주던 송 이사, 모두 하늘나라로 먼저 가버려 그들이 보고 싶은 사람으로 새삼 기억이 새롭다.

매년 현충일에는 조 사장과 최 목사는 물론 군 생활 동안 먼저 하늘나라로 간 동료, 최전방 전선에서 불의의 사고로, 북괴군과의 접전(接戰)에서, 그리고 월남 전선에서 베트콩과의 접전 중 나라를 위해 불귀(不歸)의 객이 된 부하와 전우들의 명복(冥福)을 빈다. 그들이 다하지 못한 나머지 생을 나에게 건강과 성실한 삶으로 전이(轉移)해 줄 것을 빌어 보는 마음으로 자식, 손주들과 함께 나라사랑의 교훈을 되새기는 하루를 보낸다.

호국영령(護國英靈)에 대한 추모와 자신을 되돌아보는 기회를 갖는 것이 마음 편하고, 나 또한 머지않아 누군가에 의해 추모를 받는 날이 다가옴을 잊지 말고 평소에 베푸는 삶을 살도록 노력해야겠다는 생각을 가졌다.

하소연

그동안 나의 주변 나이 드신 분들이 돌아가셨다는 소식을 듣고 아쉬운 마음에 아직 살아계시는 다른 선배 전우들의 안부도 궁금하고, 어떻게 지내고 있는지 소식을 듣기 위해 두 선배 전우에게 연락하여 함께 식사를 하자는 약속을 했다. C형은 특전사 출신으로 월남 참전 국가 유공자로 상이 연금을 받는 분이고, H형은 해병대 출신으로 행정관으로 근무하다가 현재는 지역에서 사회적 활동을 하다가 그만두고 텔레비전 시청과 병원 왕래로 소일하는 분이다.

'매교' 전철역에서 만나 수원천변 둘레길을 걸어서 연무동에 있는 식당을 가기로 약속을 했는데 C형은 "나는 걷기가 힘드니 버스 타고 갈게" 하는 것이다. 아예 걷지를 못하니 그냥 식당 근처에 가서 기다리겠다고 하고, H형은 전철역에는 나오지 못하고 남문 시장 부근에서 만나서 가다 쉬고를 반복하면서 함께 갔다. 역전의 용사들이 걷기도 힘든 나이가 되어 이렇게 힘들게 사시나 하는 생각을 하게 된다. 그러면 마음으로부터 "너는 별수 있나" 하면서 자신을 돌아보게 된다.

H형은 걸어가면서 제일 먼저 이야기하는 게 그간 많은 여복(女福)에 쌓여 인생을 즐겁고 고민스럽게 살다가 돌아가신 A형의 마지막 장례식장에서의 모습과, 술은 한 방울까지 남기지 않고 아껴 드

시며 술과 더불어 여생을 살다 가신 Y형의 마지막 임종 전 이야기 등에 대해 나름대로 해석을 해가면서 이야기를 들려주었다. 화홍문 사이의 소로를 걸어가는 동안 S고 총동창회 회장으로 재직 시 있었던 각종 에피소드와 해병대 총회장 재직 시 일어난 일들을 특유의 제스처를 써가면서 재미있게 대화를 나누며 식당으로 천천히 걸어갔다.

식당 근처 다리에서 우리가 오는 모습을 보면서 기다리던 C형을 반갑게 만났다. 함께 가면서 후두암에 걸려 병원에 입원하여 수술을 받은 이야기며 참전 국가 유공자로서 상이 3급을 받게 된 사연을 설명했다. 동료들에게 그간의 병 치료와 상이 급수에 대한 전후를 말하니 위로보다는 도리어 시기하는 사람도 있더라고 하면서 아무튼 연금 덕분에 돈 걱정 없이 편하게 살고 있다고 자랑삼아 말하였다. 메기찜을 시켜 먹어 가면서 그동안 돌아가신 분은 누구이고 병원에 누가 있는지를 서로 알고 있는 정보로 확인하고 나서 나이 먹어서 일어나는 이야기로 시간을 보냈다.

H형은 "사는 게 무슨 희망이 있겠습니까? 산목숨이니 살아가는 게지요"라고 먼저 운을 땐 뒤에 지나온 이야기를 하였다. 그간 여러 사회단체의 회장으로 지내면서 돈 쓴 이야기와 조금 전 나와 함께 걸어오면서 했던 이야기를 계속 한 시간 이상 했다.

본인은 대장암으로 수술을 받고 나이 먹으니 많이 먹지도 못하고, 술도 먹지 못하고, 힘든 일도 못하고, 노인이 되면 이렇게 할 수 없는 일이 많아진다고 하였다. 고집도 세지고 성격도 외골수로 변하여 사람들과 잘 어울리지 못하면서도 사람 사이에 있고 싶어 하는 마음은 변함이 없으니 그 옛날 당당하던 자신의 모습만 생각하게 된다고 했다. 요즈음은 활동하는 게 없고 병원에 다녀와서 TV와 가깝게 지내고 있다고 한다.

C형은 아들 식구 넷 하고 한집 생활을 하는데 요즈음의 가족생활은 모든 게 손주 중심이라서 옛날 어른 중심 사회에서는 볼 수 없는 일들이 많이 일어나고 있다고 했다. 더구나 아들이 취직을 못하여 백수로 생활하고 있고 며느리가 돈 벌어 생활한다지만 실제로는 자신의 연금과 수당으로 생활하는 '캥거루족'이라는 것이다. 그래서 그런지 무슨 일이 있어 며느리를 찾으면 며느리는 손주가 학교에서 올 시간이라든지, 학예 연습장이나 학원엘 데리고 가는 중 이라든지, 아니면 외부에 나와 있다고 말하는데, 더 이상 할 말이 없어져서 "알겠다"는 말로 대신하고 만다고 했다.

할아버지가 손주를 조금 꾸중하면 며느리가 더 서운하게 생각하니 아예 부딪치는 일이 없기를 바란다고 한다. 손주가 좋긴 한데 그것도 한때라는 생각이 든다는 것이다. '시부모는 순위가 6번째이니 할 수 없지' 하고 생각은 하지만 서운한 마음은 어쩔 수 없다고 한다. 그래서 자신을 관리하며 자신에게 임무를 부여하고 매일매일 자신과 함께 보람차게 살아가는 일이야말로 내가 할 일이 아닌가 생각한다고 C형 특유의 쉰 목소리로 말하는 것이다. 손주나 봐주고 용돈 타고 지내기는 무서운 세상이라는 생각이 든다면서 각박한 세상에서도 즐거움과 희망을 주는 가족 문화를 만들어 가야 하는데 서로 간의 배려하는 마음이 가장 중요한 덕목이 아닐까 한다며 약간 어두운 표정으로 이야기하였다.

산천을 누비던 역전의 용사들은 이제 칠십 중반이 넘었고, 이런 저런 병 걱정 앞세운 노인이 되어 모처럼 만나서 그간의 지나온 이야기를 서로 나누는 것만으로도 행복하고 즐거운 일이었다고 생각한다. 서로를 다독거리면서 다음을 약속하고 조심히 집에 갈 것을 서로 당부하면서 다시 만날 그날을 생각하며 헤어졌다. 노년을 즐겁고 행복하게 보내고자 하는 것은 모든 사람의 열망이다. 오늘 만난 선배 전우들의 대화 속에서 앞으로 살아갈 길을 다시 한 번 생각했다.

나의 병상 일지

"그래도 병원에서 퇴원하여 이렇게 병상 일지를 쓰게 하여 주신 하느님께 감사드리며 헌신적으로 나의 병상을 돌봐준 아내와 나의 사랑하는 가족들에게 감사드린다."는 인사와 함께 시작된 병상 일지는 퇴원 당시에 쓴 글이다. 이제 19년을 지내면서 다시 한 번 그 당시를 회상해본다

나는 군무원 생활의 말년에 생각지도 않은 교통사고로 인하여 하루아침에 인생의 전환 길에 들어서게 되었다. 사실 18세에 군에 입대하여 오늘날까지 4년간의 회사생활을 제외한 31년 6개월의 생활을 아무런 사고 없이 지내 왔는데 이렇게 교통사고를 당하다니 나 자신을 다시 돌아볼 기회가 생긴 것이다.

99년 4월 19일, 전날 다녀온 등산의 피로감을 느끼면서 대대 예비군 감사가 있어 아침 일찍 출근하면 그래도 차가 막히지 않을 것으로 생각하고 06시 40분에 집에서 출발하였다. 세평지하도를 지나 남양 방향으로 이동하는 도중 '경향 주유소' 전방 약 100미터 지점에서 남양에서 수원으로 오던 화물차가 중앙선을 침범하여 내 차의 좌측 부분을 받아버려 생각지도 않은 사고를 당하게 되었다. 사고 차량 운전자는 전날 부친 회갑으로 밤새워 음주가무를 하고 술

이 덜 깬 상태에서 출근 차 돌아오던 중이었다고 이야기를 들었다. 내 차는 프라이드 웨곤으로 산 지 6개월 정도 되었다. 기름을 적게 소비하는 경차를 구입하여 출퇴근에 사용하고 있었다. 사고 후 자동차는 폐차시켰다. 사고 차량에서 간신히 몸을 빼고 길바닥에 드러누워 있다가 주변에 있는 분이 119에 전화를 해주어서 119 구급차량으로 병원에 실려 왔다.

전문의 과정에 있는 의사가 고관절이 깨어진 것을 빠진 줄 알고 잡아당겼다가 다시 넣고 하는 치료 행위를 약 4회 정도 반복하는 바람에 아파서 죽는 줄 알았다. 담당 과장이 출근하여 고관절 수술을 하였으나 뼈 조각 하나가 관절 내 물렁뼈 속에 남아 있어 재수술을 해야 할 상황이었다. 다행히 이틀 후 뼈 조각이 아래로 내려와 관절 끝에 붙는 바람에 그냥 두기로 한 것이다. 관절에 박은 핀 하나는 빼지 않고 그냥 두고 살고 있다.

왼쪽 다리는 고관절이 깨어지는 바람에 묶어 추를 달아 놓아서 꼼짝도 못하고, 오른쪽 팔은 팔목이 빠지면서 부러져 묶어두었다. 오른쪽 다리의 관절 부위도 타박상으로 찢어지고, 혓바닥이 끊어져서 겨우 붙어있는 등 사지가 성한 곳이 없을 정도로 다쳐서 누가 봐도 한심스러웠을 것이다. 대소변을 보기 위해서 발가벗은 상태로 시트 한 장으로 몸을 가리고 누워있으니 한마디로 송장에 가까운 모습이었을 것이다. 그저 정신이 멀쩡하고 그래도 허리나 머리를 다치지 않은 것은 다행으로 여길 뿐이다. 병원 생활 89일 하면서 50일은 누워서 꼼짝도 못했고, 대소변을 받아내면서 생활하는 정말 힘들고 어려운 시간이었다.

　집사람의 헌신적인 간호가 있었고, 아들들이 교대로 간호하여 주었으며 주위 사람의 보살핌과 격려의 말로 참고 견디며 감사의 마음을 가져 병원생활을 이겨낸 것이 아닌가 생각한다.

　병원에서는 처음에는 2인실인 723호실에서 생활하다가 대소변을 가릴 수 있게 되자 710호실로, 그리고 문 앞에 있다 보니 복잡하여 711호실로 이전하여 퇴원할 때까지 생활하였다. 병문안 온 사람들은 초기에는 나의 상처 부위를 보고 크게 부상을 입어 장애인이 될 것으로 생각하였다. 그리고 하봉수가 죽게 생겼다고 이야기할 정도로 나 자신이 생각하는 것보다 실제로 많이 다쳤다. 한상래는 마음이 아파서 눈물을 흘렸고, 연무동장은 남양으로 간 것을 나무라면서 위로했던 것으로 생각된다. 동기생회에서도 회보에 부상 입은 것을 회람하면서 위문을 다녀가도록 권유한 것으로 알고 있다. 이는 김성덕이 위문한 후 "하봉수가 다 죽게 되었다"라고 전하는 바람에 모두들 그렇게 생각하게 된 것이다. 사실 아쉽긴 하지만 현재의 심정으로 나 자신의 처한 환경을 생각할 때 이제 더 이상 근무할 수 없다고 생각되어 병원 입원 중에 송산면 대장 황철희를 통하여 명예 전역지원서를 제출케 하였다. 그 결과 예비군 면대장직도 9월 30일에 명예 퇴직되어 31년 6개월의 직장 생활을 마감하게 되었다.

　지금 이 글을 쓰면서도 오른쪽 손이 불편하여 손가락이 제대로 동작되지 않아 불편하고, 장시간 앉아있을 경우 고관절이 아파 오는 것이 모두 교통사고의 후유증에 기인된 것으로서, 이제는 몸이 마음대로 되지 않는 그야말로 장애인이 된 것이다. 몸과 마찬가지로 마음도 변화하여 자신감이 적어지고 우울해지는 심약한 사람이 되어 가고 있다. 부대에서는 공상으로 처리되어 상급 부대에 보고되었다. 출근 중 일어난 사고로서 한마디로 재수가 없는 일이나 어쩔 수 없었다. 신청한 명예퇴직 명령이 내려왔다.

7월 17일 제헌절 날 퇴원하였다. 집에서 팔달산까지 걷기와 목욕탕 물속에서 앉아 걷기 등 재활훈련을 하면서 시간을 보냈다. 왼쪽 고관절이 경직되어 제기차기가 되지 않고, 오른 팔목이 구부러지지 않는다. 장애 4급을 받아 장애인이 되었다. 혀는 저절로 붙어서 끊어진 선만 남기고 있다. 열심히 걷기 운동을 하여 그런대로 원상회복은 되었고 생활에 아무런 지장이 없는 상태이다. 나이가 있어 고관절이 자연 괴사되면 인공관절 수술을 해야 한다. 걱정이 된다. 최대한 운전은 안 하려고 한다. 야간 운전은 아예 하지를 않고 주간에도 운전하면서 방어 운전은 필수이다. 항상 조심하면서 운전하고 있고 술을 못 먹으니 음주운전은 안 한다.

고마운 사람

아침에 전화를 받았다. "하 대장! 죽었다가 내가 살았다" 하시는데 오늘 점심시간에 만나기로 한 분이었다. 사람이 살아가면서 많은 사람과 어울려 산다. 개중에는 기억조차도 하기 싫은 사람이 있는가 하면 평생 잊지 못할 고마운 사람도 있다. 전화하신 분이 인생 칠십을 넘긴 나이로 몇 분 되지 않은 고마운 사람 중 한 분이다.

어렵게 세류1동에 자리가 있어 예비군 동대장으로 임명될 수 있었다. 어렵다는 이유는 첫째로 전역한 지 3년이 넘었고, 둘째는 직장 중대장으로 근무를 그만두었기 때문에 군단에서 실시하는 별도의 시험을 보아야 하기 때문이었다. 그렇지 않은 사람은 간단한 실기 시험으로 임명되었다.

세류1동은 지역적으로도 수원역 바로 앞에 위치하고, 피난민촌으로 형성되어 어려운 사람들이 모여 사는 못사는 힘든 동네이다. 그러다 보니 각종 대형 범죄인 살인, 강도 사건이 자주 일어나고, 골목으로 형성되어 있어 역전에서 데모하던 '한신대' 학생들이 도망 다니는 길로 정해진 곳이다.

예비군의 구성도 대부분 군 미필자들로 구성되었고, 이들은 수원의 남문파 조직원으로 활동하는 조직 깡패들이다. 범죄자라서 군대에 가지 않고 전과자가 되어 군 미필 소대에 편성되었다. 사실 이들이 가장 골치 아픈 훈련 대상자들이다.

분산 무기고가 있어 경계병으로 근무하는 병력과 행정요원을 합해 32명을 거느린 골치 아픈 동대이다. 처음 부임하고 보니 경계 근무병 1개조 8명이 사단 헌병대 영창에 가 있었다. 옛날 군 생활 시절 너무 병사들 입장에서 근무를 하다 보니 진급도 안 되고 개인적인 어려움이 많았던 점을 생각하여 엄하게 지휘하였다. 강직과 성실을 근무 방침으로 정하고 열심히 근무를 하면서 강직하게 하여 부정이 새어 들어오지 못하게 철저하게 막았다.

그 당시만 해도 약간의 군사정권의 잔재가 남아 있고 군의 행정력이 아직은 사회에 비해 나은 편이었으므로 업무적인 면에서는 큰 부담이 없었다. 동사무소 사무장은 어느 날 5급 군무원으로 임용된 예비군 동대장이, 그것도 국가직이고 지방직 6급인 자신보다 급수가 높다는 데 불만을 가지고 행정적 지원 업무를 일부러 소홀이 해주어 어려움을 주었다. 동사무소 직원들은 대부분 예비군이었기 때문인지 협조적이었다.

당시에 병사 담임으로 함께 근무하던 직원이 올해에 구청장으로 정년퇴임하고 도시공사에 새로운 보직으로 근무한다는 연락을 받고 축하하여 주었다.

동대의 각종 행정적 어려움과 지역 방위를 지원해주기 위한 주민 대표들로 방위협의회가 구성되고 회장으로 새마을금고 임 이사장이 선출되었다. 임 이사장은 예비군 동대장 재임 동안 가장 도움을 많이 받은 사람이었다. 방위협의회 위원장으로 재임 동안 허술한 동사무소 옥상의 임시건물을 분산 무기고 2층에 새로운 예비군 동대 본부를 신축하여 주고, 업무에 필요한 행정적 지원을 하는 등 물심양면으로 많은 지원을 해주었다. 그러다 보니 서로 간 인간적으로도 가까워져서 거의 점심을 함께하면서 지역의 각종 행사에 함께 참여하였다.

11년을 근무하고 연무동으로 전보되어 간 후에, 새로운 동대장의 어처구니없는 사직으로 오해를 받는 나를 위해서 방위협의회 위원들을 설득하고 특히 시의원과 동장에게 반대 의사를 분명히 함으로써 오해를 해소해주었다. 또한 퇴직 직후 새마을금고 감사로 추천하여 감사로 봉직하게 하였고, 감사직을 수행하는 가운데 교통사고로 인하여 3개월의 병원 입원 기간에도 병문안은 물론 물질적 도움도 주었다.

'백천 공인중개사' 사무실을 운영할 때는 사무실에서 같이 생활하면서 동네일에 대하여 의논하고 이를 진행하면서 의견을 교환하였다. 그 당시에는 거의 매일 함께하였다. 본인이 직접 집을 구매하고, 동네 유지분들에게 적극적으로 홍보하여 부동산 사무실 운영에 보탬을 주었다.

시간이 있으면 만나 대화하면서 맛있는 음식을 먹으러 다니면서 함께 즐겁게 보냈다. 아무튼 동대장 재직하는 동안은 물론 퇴직 후에도 가깝게 지내다 보니 결국 술 잘 먹고 사람 좋은 전 동장과 함께 친목회를 만들어 월 1회 부부동반으로 모여서 서로의 건강을 걱정하고 즐거운 식사와 여행을 하면서 보냈다. 이곳 망포동으로 이사 온 후 직장에 다니면서 시골 전원생활로 인하여 만나는 횟수가 줄어들고 소원해지면서 친목회도 결국 해산하여 만날 기회가 없었다.

수원에서 첫 번째라면 서러워할 정도로 낙후되고 사고가 많은 골치 아픈 동네에서 예비군 동대장으로 업무를 수행하는 가운데 기댈 수 있는 분이 임 이사장이었다. 가장 도움을 많이 받은 분이 임 이사장이다. 고마운 분이다. 평생 잊지 못할 분이다. 요즈음도 간혹 전화하지만 좀 더 가까이 모시는 기회가 적어 항상 미안할 따름이다. 건강하시길 기원한다.

5장
주천강과 두루봉 그리고 움집
2008.6. ~ 2018.9.

이상한 독거노인

강림 시골집에 있는데 차가 올라오더니 우리 집 앞에 세우고는 어떤 여자분이 내려서 "하봉수 씨 되세요?"하고 물었다. 그렇다고 했더니 자기는 횡성군 사회복지 지원센터에서 나온 사람으로서 독거노인에 대한 조사를 하러 왔다는 거였다. 가만히 생각해보니 이곳 시골에 나 혼자 주민등록이 되어 있어 당연히 독거노인인 줄 알고 국가에서 생활 실태를 조사하라고 하니 조사를 나왔다고 한다.

나 자신도 강림으로 전입하기 직전까지 동사무소 사회복지 위원회에서 활동하던 생각이 났다. 관할 동 지역 내 거주하는 독거노인의 생활 실태와 차상위 계층의 어려운 가정을 발굴하여 동사무소에서 지원하도록 추천하고 수혜 대상자로서의 자격 여부를 심사하는 제도이다. 노인정을 방문하거나 아파트 내에서 외로이 계시는 분들을 찾아다니면서 생활이 어려운 분을 찾아내었다. 때로는 노인정이나 복지시설에 단체로 봉사를 하는 일도 있었다.

수원 집에도 통장이 찾아와서 집사람을 면담하고 갔다고 한다. 혼자 주민등록이 되어 있으니 생활 실태를 파악하기 위해서 확인 방문한 것이다. 그것뿐 아니라 주민세도 양쪽에서 내어야만 했다.

시골 생활을 시작하면서 처음부터 이렇게 독거노인으로 등록이 된 것은 아니고 작년부터 이곳으로 먼저 주민등록을 이전하고, 집사람은 새마을금고 대의원과 농협 조합원으로서의 할 일을 한 다음 이전하기로 함으로써 각자가 독거노인이 된 것이다. 나는 이곳에서 농사를 지으려면 주민등록이 되어있어야 농협 조합원 가입이 가능하고, 군에서 지원하는 퇴비도 지원받을 뿐 아니라 다른 농사 지원도 혜택을 받기 때문이다. 이곳 파월 참전 전우회에도 가입하여 월남전에서 생사를 함께한 전우들과의 만남을 통하여 우정도 다지고 생활의 지혜와 농사 정보도 얻으며 삶의 활력을 찾기 위함이었다.

차를 타고 마을을 빠져나가는 길목에 조 씨 할머니가 꾸부러진 허리로 걸어오는 게 보인다.

"어디 다녀오세요?"

"저쪽 밭에 다녀와요"

인사를 나누고 마을을 빠져나가면 오늘도 운동하고 집으로 돌아가는 이 씨 노인을 만난다.

"안녕하십니까? 운동 열심히 하세요."

내가 살고 있는 강림면 노뜰 부락에도 혼자 사는 할머니들이 많다. 남자들은 고된 노동과 음주로 일찍 돌아가시고 자식들은 모두 나가 살다 보니 혼자서 남의 밭일을 하면서 용돈을 벌고 자신의 밭에 채소를 심어 가꾸어서 자식들에게 나누어 주는 고된 일로 생활하는 노인이 대부분이다. 밭에 일하러 다니지도 못하는 환자 노인들은 집에서 복지 센터에서 제공하는 도시락으로 연명하면서 찾아오는 자식들만이 유일한 대화 창구이다.

조금 전 만난 이 씨 노인은 부부 모두 뇌졸중으로 쓰러져서 두 사람이 아무 일도 못하고 요즈음은 재활운동으로 걷는 운동을 열심히 하고 있다. 다행인 것은 왼쪽으로 마비되는 바람에 언어는 가능하다는 것이다. 두 부부가 함께 길을 가지는 못하고 각자 반대 방향으로 운동하러 다닌다. 볼 때마다 마음이 짠하다.

이제는 확실히 노인이 되었고, 그것도 혼자 사는 독거노인이 되어 있다. 마침 집사람이 나와서 무슨 일이냐고 물으니 조사서에 '동거'라는 곳에 체크를 하고 "한 분만 주소를 옮겨서 그런 거구나" 하였다. 전국의 133만 독거노인들을 일 년에 한 번씩 조사하고 있다는 설명을 곁들이며 서명을 받아 갔다.

내년에는 강림으로 집사람이 전입하여 독거노인 생활을 청산하고 완전한 세대를 이루어서 행복한 노후생활을 하도록 노력해야겠다.

전원생활

처음은 전원생활이라는 생각도 없이 나이 먹어 그냥 시골에 작은 집 한 채와 텃밭을 가지고 시간을 보낼 수 있으면 얼마나 좋을까 하는 소박한 생각으로 인터넷을 검색하다가 '주천강' 부근에 나와 있는 주택들을 찾아보기로 하였다. 주천강 부근은 그간 살아오면서 겨울 등산을 자주 다니던 산들이 산재하여 있는 곳이라 알고 있는 지역도 있고 지리도 알아서 마음에 끌렸다.

고속도로 새말을 빠져나와 처음 맞닥뜨린 공인중개사 사무실로 무조건 들어가서 전원주택을 사러 왔다고 하니 세 곳을 안내해주었다. 집 구경하면서 다니다가 엄 사장이 "강림에 한번 가보시죠. 새로 짓는 집인데 마음에 들 겁니다"라고 말하면서 현재 사는 신축주택을 보여주었다. 주택 앞에 주천강이 흐르고 뒤에는 '두봉산'이 우뚝 서 내려다보며 강 건너 앞산에는 백노(白鷺)들이 날아다니는 걸 보니 전망이 좋았다. 아무튼 집사람이 좋다고 사자고 하는 말에 60%의 구매 의사가 발생한 거로 보면 되겠다. 물론 집 명의는 부인 앞으로 하기로 하고 함께 시골 생활을 한다는 조건이지만 농촌 출신이라 나보다 농작물에 대해 많이 알고 있으니 앞으로 생활하는 데 도움을 받기 위한 것이다.

초기 전원생활은 직장을 다니고 있어서 어쩔 수 없이 2시간 거리에 있는 수원 집에서 금요일 오후에 왔다가 월요일 새벽에 돌아가는 식으로 4도 3촌 생활을 하면서 보냈다. 그 시기에는 집안 꾸미기와 텃밭 정리 및 가꾸기로 생활했으므로 크게 문제될 게 없었다.

직장을 퇴직한 후에는 봄부터 가을까지는 주로 강림에서 보내고 겨울에는 수원에서 보내는 생활을 하게 되었다. 강림에서 보낼 때는 작은 텃밭으로는 소일거리가 적어 무료하게 지내는 경우가 많아서 동네 오 사장의 소개로 '월현리' 산비탈에 있는 500평의 농지를 구매하고 농사를 하면서 시간을 보낸다.

농사일 하는 곳을 흰 백(白)에 하늘 천(天) 자로 이름 지어 '백천 농원'이라 했는데, 공인 중개업을 할 때 지은 상호와 같은 이름으로 불렀다. 명함도 만들고 대표 하봉수로 농업 경영체로 등록하였다. 군에서 지원해주는 퇴비도 신청하고 농협에 조합원으로 가입하여 명실공히 농원 대표로서의 위치를 확보하였다.

아침 운동하는 날에는 '딸기'와 함께 동네 산길을 걸으면서 밤, 도토리를 줍거나 이웃에 농작물의 상태를 보아가며 서로의 생각을 이야기하면서 '월현리 소공원'까지 가서 운동한 후 왕복 1시간 정도 걸어서 집으로 돌아왔다.

걷다 보면 주변에 새로 지은 집이 많이 생기는 걸 보면서 이곳으로 전원생활을 즐기러 오는 사람이 많아진 걸 알 수 있었다. 하지만 울창하던 잣나무 숲이 전원주택지로 변하고 산속 골짜기에도 집들이 생겨서 자연환경의 훼손이 점점 심각해지고 있었다.

운동하러 갈 때 나는 골프채 하나를 들고 간다. 골프채로 가면서 밤송이로 스윙 연습도 하고, 두릅을 딸 때에는 나무를 잡아주기도 하고, 걸으면서는 지팡이로, 뱀이나 개에 대한 안전 막대기로도 사용하기도 한다. 처음에는 주변 산엘 등산하면서 지형을 숙지하거나 산나물, 버섯을 캐기도 하였으나 세월 흐름에 밀려 요즈음은 겨우 걷기만 한다.

전원생활에서 제일 힘든 영농은 능력에 맞는 범위 내에서 해야지 "남 따라 장 간다"는 식으로 하다 보면 힘들고 결국 지쳐서 다시 돌아가는 경우도 있다고 한다. 그래서 K 사이버대 웰빙귀농학과도 다니면서 충분히 준비를 하였다.

봄철에는 각종 채소 모종 심기와 씨앗 뿌리기를 한다. 그러기 위해 연초에는 농원에 무엇을 심을까를 두 사람이 의논하여 계획을 세운다. 작년과 비교 분석하여 잘못된 부분에는 새로운 모종과 나무를 심었고, 밭에 어떤 작물을 얼마만큼 심을 것인가에 대한 세부 계획까지 세운다.

제일 먼저 하는 일은 눈 속의 농원에 제초제를 뿌리는 일과 나무에 숨어있는 벌레를 죽이는 농약을 살포하는 일이다. 그러고 나면 군에서 지원되는 퇴비도 받고 밭갈이를 하기 시작하면 올해 농사가 시작된다. 넓은 지역은 경운기, 트랙터로 하지만 대부분 사람들은 곡괭이와 삽으로 밭을 만든다. 귀촌한 사람 중 힘 안 들고 편하게 농사를 짓겠다는 사람들은 관리기를 사서 하기도 한다. 돌멩이가 많은 곳에서는 별로 효과를 발휘하지 못한다. 감자, 강황, 생강을 먼저 심고 채소, 고구마, 야콘, 옥수수를 오월 이내에 심는다.

심어둔 채소와 과수를 각종 병충해로부터 지키기 위해 무더운 날씨 속에도 힘든 일과를 시작한다. 해뜨기 전 새벽, 농원에 와서 풀매기와 농약 주기를 한다. 물론 최대한 농약을 사용하지 않지만 어쩔 수 없는 경우는 할 수 없이 살포한다. 제초 작업도 수시로 하는데, 성장 속도에 맞춰서 제초제를 뿌리거나 풀베기 작업을 한다. 뜨거운 날씨와 가뭄 속에서 고생한 보람으로 즐거운 수확을 맞이해 김장용 배추 등 각종 채소로 김장을 담그고, 겨울을 넘기는 월동채소로 마늘, 양파 등을 심는다.

영농생활에서 오는 스트레스는 여유로운 여행과 운동으로 이를 건강으로 승화시킨다. 강림에 내려온 지 십여 년 되다 보니 인접 영월, 정선, 강릉, 속초, 화진포 등 강원지역과 제천, 단양, 충주 등의 충청 지역을 인터넷으로 검색하여 수시로 다니면서 맛 집으로 소문난 음식을 먹거나 명승고적을 구경하고 다녔다. 시간 나는 대로 여행을 하고 힐링을 위한 둘레길 걷기도 이웃 사람과 함께 하면서 꾸준히 소통하며 건강하게 살려고 노력하고 있다. 흔히 말하는, 쉬려고 왔지 돈 벌고 일 하러 온 게 아니지 않은가?

주변에 혼밥(혼자 먹는 밥) 먹는 남편들은 대부분 고독과 싸우다가 결국은 부인과 싸우게 되는 결과를 초래하는 경우를 보고 전원생활은 부부의 합의된 계획하에 이루어져야 한다는 걸 알게 되었다. 남이 어떻게 사는지가 중요한 게 아니고 나 자신의 확고한 가치관이 중요하다.

전원생활은 살아오는 동안 쌓인 노폐물을 몸부터 정신까지 자연으로 치유하여 새로운 제2 인생을 살아가도록 하는 출발점과 같은 것으로 보약 같은 생활임을 알게 되었다.

시골 하루의 시작

나이가 들어서인지 몸의 피로가 쉽게 풀리지 않고 조금만 움직여도 피로가 몰려와 잠깐씩 눈을 붙인다. 농장일을 한 날은 식사도 거르고 씻기 무섭게 쓰러져 잠을 잔다. 저녁 먹고 밤 8시 전후면 졸리기 시작하지만, 오늘은 어떤 일들이 또 벌어졌을까 하는 생각으로 아홉 시 뉴스를 시청하려고 참고 참다가 결국 침대에 있는 베개와 함께한다. 칠순의 나이를 훌쩍 넘기고 보니 생체 시계가 어느덧 노인성 수면 리듬에 맞춰져서인지 일찍 잠자리에 들고, 새벽에 잠을 설치는 일상이 반복된다.

새벽 4시 전후에 눈을 뜬다. 푹 잠을 잤다는 생각보다 쓸데없는 꿈을 꾸거나 섭섭한 일, 아쉬운 일, 그리고 오늘 할 일들을 꿈속같이 헤매다가 일어나는 경우가 더 많다. 멍하게 침대에 조금 앉아 있다가 손등을 뒤로하여 허리를 두드리면서 건넛방으로 나가면 애완견 '딸기'가 침대 자리를 차지하려고 슬슬 움직인다.

시골의 새벽은 고요함 속에 풀벌레 소리만 들리는, 적막하고 안개까지도 자욱한 캄캄한 밤이다. 앞산은 어디 숨어 있는지 주천강 낙차 물소리만 새벽 공기를 깨뜨린다. 집 옆에 있는 가로등 덕분에 정원은 새롭게 피어난 꽃들과 싱싱한 채소들의 모습을 보여준다. 일어나자마자 시원한 냉수 한 컵을 들이켜고 나서 인터넷 서핑을 하면서 하루를 시작한다.

우선 뉴스를 대강 보고 메일을 점검한 후 내가 카페지기로 있는 카페에 들어가 인사 글을 올리고 한번 훑어본 뒤에, 가입된 카페에 들어가 내가 올린 글에 대한 댓글에 답을 쓴다. 지난번에 작성하다가 미루어둔 문학 파일을 열어 맑은 정신으로 다시 한 번 읽으면서 생각하여 글을 채운다. 그리고 해 뜨기 직전 밖에 나가 옷을 벗고 한참을 새벽 공기로 전신 피부 마사지를 하면서 시원하고 맛있는 공기를 마음껏 마신다. 그리고 나서 맨손 체조를 한 후 다시 들어온다.

올해도 부부가 고생하여 생산한 아로니아를 베지밀에 혼합하여 한 컵 마시고 '전원생활 농사' 카페에 들어가 농사일에 대해 올라온 글들을 보며 요즈음 수확하는 농작물은 무엇인지, 가격은 어떤지, 유행하는 병해충과 방제 방법은 어떤 것인지, 농원의 상태와 비교 판단하여 꼭 해야 할 일이 있는지를 점검한 후에야 오늘 할 일을 결정한다.

집사람은 규칙적으로 밤 10시에 자서 아침 6시 전후에 일어나는데 나와는 다른 생활을 한다. 그러나 농원에서 일한 날에는 별수 없이 "아이고 허리, 다리, 무릎이야"를 외치며 일찍 잠을 잔다. 다만 아침에는 "이 여사 일어날 시간입니다."라는 말로 꼭 기상 신호를 보내면 '딸기'와 함께 움직이는 농장 주인이다. 사십육 년을 함께한 반려자이며 농장일은 물론 일반적인 생활의 감독자로서 잔소리로 하루를 시작하기 때문에 새벽에 깨우는 일은 없다.

오늘은 밭에 일하러 가기 위해 집사람도 새벽부터 헐렁한 바지와 목 가리개 모자와 얼굴 가리개로 최대한 햇빛을 막기 위하여 중무장하고 난 후 선크림을 노출된 얼굴 중심으로 잔뜩 발랐다. 나는 작업복과 모자를 쓰고 난 후 차로 안개 자욱한 주천강의 다리를 건너 작년에 담당 박 교수와 몇 명의 학우들이 찾아와 달아준 "자연과 함께 인간이 쉬어 가는 곳 웰빙 귀농 학과 동문 농장 1호"라는 농원 간판을 생각하며 그곳으로 향했다.

차가 농장 입구의 오르막을 오르면 작년에 귀농 귀촌하여 사과 농사를 짓고 있는 앞집의 개, 검둥이는 처음 보는 듯 짖어 댔다. 간판 옆에는 자유 대한의 상징인 태극기가 펄럭이고 무궁화 꽃이 웃으며 나를 반겼다. 오래 되어 서 있기도 힘든 솟대는 찾아오는 사람이 누군가를 확인하면서 오늘도 보람찬 하루가 되길 빌어 준다.

배추밭이 이상 없는지 한번 둘러본다. 올해는 배추 모종을 나의 한심한 생각으로 인하여 네 번이나 심었다. 한 번은 작년에 아무 이상이 없기에 그냥 심었는데 고라니가 다 뜯어 먹었고, 두 번째는 울타리 망을 설치했는데 길목만 쳐서 고라니가 다른 곳으로 돌아 들어와서 먹었고, 세 번째는 울타리 망의 문을 안 닫고 가는 실수로 고라니가 잡수셨다. 귀한 배추 모종 사려고 횡성까지 두 번이나 다녀오는 고생을 감수해야 했다. 다행히 오늘은 아무런 이상이 없다.

농장 입구에 있는 배추, 무는 김장할 날을 기다리며 쑥쑥 잘 자란다. 배추를 괴롭히던 벌레들도 배추의 자라는 힘에 눌려 모두 도망가고 난 후라서 그런지 미끈한 초록빛은 싱싱하다는 걸 보여준다. 해거리로 유난히 큰 배는 주렁주렁 달려 수확의 손길을 애타게 기다린다. 들깨는 하루빨리 수확해 달라고 재촉하다가 자신이 저절로 튕겨 나와 땅으로 떨어진다.

비닐로 지은 오래된 낡은 농기구 보관 창고의 문을 열고 오늘 일할 농기구를 세 발 손수레에 담아 고추 따기와 고구마 캐기 준비를 서두른다. 그러는 사이 해가 서서히 헛개 나무 사이로 붉은 모습을 보이기 시작한다. 새벽부터 농원 일을 하기 위해 부지런히 설쳐대다 보니 어느새 채소들이 붉은 태양을 반긴다.

특이한 전원생활

앞으로 바라보면 주천강이 흐르고 뒤에는 두루봉에 연한 능선이 감싸고 있는 양지바른 이곳에서 전원생활을 시작한 지도 언 십여 년이 지났다. 살기는 여기서 살면서 농사는 월현리에 있는 백천농원에서 농업인으로 여생을 소일하면서 지낸다.

나의 집을 거처 산비탈을 올라가서 다시 내려가면 자칭 노뜰 마을 청년 회장인 금년 64세로 혼자 살고 있는 P를 만날 수 있다. 나보다 조금 일찍 이곳으로 내려와서 생활하고 있는 사람이다.

그의 특이한 전원생활은 이렇다. 우선 마을에 새로 이사 온 사람 집에 찾아가서 인사를 한다. 그러면 새로 귀촌한 사람은 토박이와 잘 지내라는 말을 상기하면서 인사하러 온 그와 가까이 지내려고 노력한다. 이런저런 마을의 사정을 이야기해주면서 나름대로 자기 자랑을 빠뜨리지 않는다. 부탁할 일 있으면 하라고 하면서 주변 부동산에 대한 정보도 슬쩍 이야기한다. 그리고 자신을 통하여 모든 생활을 하는 게 도움이 될 거라는 뉘앙스를 풍긴다.

주로 하는 일은 겨울에 집 지켜 주기, 개 키우는 집 비워둘 때 개밥 주기, 동네 물 관리, 면사무소 심부름해주기, 안 쓰는 공사 자재 챙겨 가기, 모종 얻어 가기, 집 짓는 현장에서 운수 들기 등으로 생활한다. 뚜렷한 금전적인 수입이 없는 사람으로서 생활비를 동네

허드렛일과 부동산 매매 시 끼어들어 수고비를 받는 일에 의존하면서 살아간다. 어떻게 보면 처음 귀촌한 사람의 안내자로서 이장, 반장이 할 일을 하는 것이니 많은 도움이 될 것이라는 생각을 하게 한다. 그래서 동네에서 연세 많은 몇 분이 사는 게 안타까워서 반장을 해보라고 추천을 하기도 하였으나 본인이 거절하였다고 한다.

공적으로 부과되는 적십자회비, 반·통장 수고비 등 비용을 지불하는 일과 행사에는 참가하지 않는다. 다른 한편으로는 지역 주민임을 내세워 요구를 한다. 최근에는 면장에게 수시로 찾아가서 자신의 집에 이르는 시멘트 포장도로를 아스콘 포장으로 복개하도록 요구하여 공사하였고, 이장에게도 이것저것을 요구하여 면에서도 아주 골치 아픈 사람으로 생각하고 있다.

이웃들과 싸우기도 자주 한다. 개를 데리고 다니면서 사람을 물어 파출소에 불려 가는가 하면 남의 개를 물어 집주인과 다툼을 일삼는다. 개를 묶어두고 키우라는 주민들의 원성이 자자한데도 파출소의 경고도 무시하고 이웃들 위협용으로 데리고 다닌다. 사람들은 그를 피한다. 말하기 싫어한다. 하지만 함께 사니 어쩔 수 없다.

이곳에서 생활하는 사람들은 거의 제2의 인생살이를 위해 내려온 사람들이다. 그들과 이웃을 하면서 지낸다. 사람 사는 게 어디든 큰 차이가 없는 것으로 생각하지만, 처음에는 토박이와 잘 지내야 한다는 주변의 이야기와 사이버대에서 배운 내용을 실천하는 마음으로 이웃하고 가까워지기에 여념이 없었다. 같이 식사도 하고 여행도 함께 하면서 인간적으로 서로 터놓고 이야기할 수 있는 사이가 되길 원하였다. 열심히 가장 가까운 이웃이 되려고 노력하였다. 그렇게 하여 십여 년 동안 지내온 결과를 분석해보니 자신의 잇속만 차리는 사람, 어울리는 자체를 싫어하는 고독형 인간, 그리고 몸이 아픈 환자, 개만 사랑하는 개사랑 인간으로 나누어 볼 수 있었다.

이러한 사람들 중에서도 남에게 도움을 주는 척하면서 자기의 실속을 채우는 인간이 가장 비열한 사람이라는 생각이 든다. 나 역시 싸고 좋은 농지를 소개해준다고 하여 초기의 친한 마음으로 부탁을 하고 결국 웃돈을 붙여 착복하는 경우를 당하기도 하였다. 요즈음은 먼저 찾아가고 함께 하기를 바라지 않는다. 찾아오는 사람 반갑게 맞아주고 따뜻하게 대해주지만 나 자신의 연령도 있고 해서 같이 지내자는 뜻을 강요하거나 제법 오래된 토박이인 양 행세는 하지 않는다.

함께 즐겁게 지내던 이웃이 어느 날부터 아무런 이야기가 없으면 그냥 지나간다. 전화하는 것이 그분에게 도리어 폐해가 될 수 있다는 생각을 갖기 때문이다. 이웃집에 새로 집을 짓고 살고 있는 배선생도 그런 경우이다. 한 번도 얼굴을 본 적이 없다. 집에서 나오면 만날 텐데 내가 집에 있는 동안은 한 번도 나오지 않는다. 만날 수가 없는 것이다. 나이 먹은 사람과 대화하기를 꺼리는 걸로 생각하고 그냥 지낸다.

시골은 도회지와 달라 사람과의 대화가 없다. 이웃과 정 나누기도 겁이 난다. 귀촌하면 처음에는 토박이 주민에게 이모, 회장님 하면서 열심히 함께 어울려 3개월 정도 지내다가 자신의 위치를 확고하게 되면 연락이 없다. 만나지도 않는다. 결국은 자신의 귀촌 생활의 안정된 정착을 위한 방편으로 사용한 것이다.

　시골에서는 귀촌한 사람은 물론 토박이들과도 서로 간의 소통보다는 불신이 더욱 팽배해지는 일이 자주 일어난다. 전원생활의 좋지 않은 모습을 보여주는 한 단면이다. 서로를 믿지 못하니, 서로 알고 지내는 것이 아무런 소득이 없다는 생각으로 살고 있다. 사람 사는 곳에는 있기 마련이지만 귀촌 생활에 문제를 야기하는 기생충 같은 사람들은 다시 도시로 나갔으면 한다. 그것보다도 우선적으로 전원생활을 하러 오는 사람들은 모든 걸 내려놓고 마음의 문을 열고 함께 살아가는 즐거운 곳으로 만들어 나아가야 한다. 깊이 생각해 볼 일이다.

까마중

라오스 여행을 다녀온 후로 속이 더부룩하고 소화가 안 되는 것 같다. 체한 것도 아니고 그렇다고 아프지도 않으면서 뭔가 께름칙하고 속이 답답하였다.

이때 번쩍 생각나는 게 까마중 술이다. 처음 전원생활을 시작할 때 인터넷을 검색해가면서 각종 산야초 효소와 술 등 이것저것 좋다는 것은 모두 담가두었다. 까마중도 속이 안 좋을 때 먹으면 소화제로서의 역할을 톡톡히 한다고 해서 한 모금만 마셔보았다. 트림이 나면서 속이 뚫리는 걸 느낄 수 있었다. 계속 세 번을 먹었더니 속이 안 좋은 것은 없어졌다.

라오스 여행 시에 튀김 요리를 많이 먹고 돼지고기류의 조리한 음식을 계속 4일간 먹다 보니 소화가 제대로 되지 않고 있었던 모양이다.

농원에서 제일 먼저 봄을 알리는 산나물은 냉이다. 이곳저곳 따뜻한 밭고랑과 과수나무 사이 공지에는 냉이 천지다. 가을에도 냉이가 나오긴 하지만 봄보다는 향기도 별로고 뿌리도 약해서 봄철 냉이보다는 못하다는 생각이다. 봄철에는 아낙네들이 냉이를 캐서 냉이 된장국을 끓여 먹거나 나물로 무쳐 먹는다.

냉이가 꽃이 피기 시작하면 쑥이 나온다. 쑥도 냉이만큼 농장 전체를 채운다, 쑥 사이에 민들레와 도로변의 질경이가 봄철을 알린다. 민들레와 질경이의 여린 잎을 따서 삶아 무쳐 먹으면 정말 쫄깃쫄깃한 게 맛이 있다. 다시 자연으로 돌아가는 느낌이 들 정도이다. 봄의 기운을 받고 새싹으로 얼굴을 내민 사총사는 봄철 나물의 재료가 되고 건강을 지키는 파수꾼이 되고 있다.

완연한 봄이 되면 작년의 까마중이, 자라고 있던 배추밭가와 비료를 쌓아 놓은 곳 주변에 집단으로 다시 곧게 줄기가 서고 가지가 옆으로 많이 퍼진 모습으로 자라기 시작한다. 까마중 열매 안에 있는 무수한 씨앗이 떨어진 것이다. 까마중은 약명이 용규(龍葵)라는 한해살이 풀이다. 까마종이, 먹때꽐, 먹딸, 강태, 깜도라지라고도 한다. 밭고랑에 자라는 것은 빼내어 버리고 변두리에 자라는 것은 그냥 둔다.

처음 까마중을 보고는 약이 된다고 해서 기르기로 하고, 어린잎을 삶아서 우려내어 독성을 제거하고 나물로 먹었다. 열매는 9~11월에 조그만 구슬같이 생긴 녹색 열매가 달려 있다가 까맣게 변한다. 오래된 것일수록 단맛이 많이 난다. 밭에서 일하는 동안 수시로 까만 단맛이 약간 나는 열매를 따 먹기도 하였다. 어릴 때 길 가다가 목이 마르거나 배가 고플 때 따먹던 열매라 추억이 새롭다.

까마중은 급만성 기관지염이나 개고기, 돼지고기, 쇠고기를 먹고 체했을 때에 열매를 한 움큼 따서 먹거나 술을 담아서 먹으면 효험이 있다. 열매를 따서 술을 담고 까마중 전체를 효소의 재료로 사용하여 효소를 담았다. 요즈음은 아예 까마중 술 한 병을 수원 집에도 두고 고기 먹은 날은 한 모금씩 마시고 있다.

십여 년 전 사부인의 간곡한 요청으로 미국 뉴욕 인접 뉴저지 주에 사는 사돈총각 댁에 묵으면서 사부인과 함께한 여행에서 20여 일 있는 동안 아침에 산책 다니는 도로 옆에 난 까마중 열매를 따먹었다. 미국에도 까마중이 있구나 하며 신기하게 여겼는데 미국이나 한국이나 열매의 맛은 한결같았다.

시간 나는 대로 다른 친인척 집을 방문하던 중 사부인 오빠 댁에 갔을 때 정원 모서리에 있던 까마중을 보고 열심히 약 효과를 자랑하면서 미국에서 자라는 식물이니 더 효과가 있을 것 아니냐는 생각으로 함께 있던 사람과 함께 웃고 즐거워하면서 먹었다. 요즈음도 사돈은 간혹 까마중 이야기를 한다. 나중에 알게 된 사실이지만 '미국 까마중'도 우리나라 까마중과 같은 속의 약초였다.

TV의 '자연인'이라는 프로는 첩첩산중에 사는 사람들의 생활상을 보여주는 프로인데, 자연인에는 대부분 질병과 싸우다가 마지막으로 산에 들어와 산과 들에 있는 이름 모를 잡초, 자연적으로 자란 풀과 뿌리를 먹고 완쾌된 사례들이 많이 나온다. 까마중도 그중의 하나라는 생각이 든다. 밭에 자라고 있는 쇠무릎, 도라지, 참당귀, 참마, 여주와 더불어 까마중도 한번 약초로 키워 처음에 생각했던 산야초 농장에 대한 꿈을 키워보고 싶다.

벌의 종족 지키기

추석을 앞두고 벌초를 하다 말벌에 쏘여 목숨을 잃었다는 소식을
텔레비전을 통하여 접했다. '벌' 하면 흔히 벌통과 함께 양봉하는 꿀
벌로서 꿀을 모으는 벌을 말한다. 하지만 야생에는 토종꿀을 만드
는 토종벌과 꿀벌, 땅벌, 호박벌, 장수말벌, 말벌, 바다리, 쌍살벌,
나나니벌 등 종류도 많다. 그 많은 벌 중에서도 가장 무서운 말벌과
땅벌의 벌침에 쏘여 아우성치며 헤매고 도망간 일, 그리고 병원 신
세를 진 일이 생각난다.

예전에 병사들과 함께 광교산에서 예비군 훈련용 진지 작업을 하
다가 갈대숲 속에 있는 말벌 집을 건드린 적이 있다. 그때 사방에서
'윙윙'거리는 소리와 함께 떼를 지어 집을 파괴한 침략군(?)에게 무
차별 공격을 퍼부었다. 소리를 지르고 두 팔을 흔들면서 벌 떼의 공
격을 피하려 하였으나 이미 여러 곳을 쏘였다. 멀리 떨어진 개울가
로 도망쳐 개울물에 얼굴과 머리를 담그고 살펴보니 머리, 안면, 팔
등 열두 곳을 쏘였다. 몇 명의 병사들도 벌에 쏘여 응급처치로 암모
니아수를 발랐으나 통증이 가라앉지 않아 결국 수원 의료원에서 치
료를 받았다.

말벌은 대부분 배에 무늬가 있고 크기와 모양이 비슷하게 생겼으
며 머리는 황갈색이고 정수리에 흑갈색의 마름모꼴의 무늬가 특징

이다. 주로 곤충을 잡아먹는데 공격성과 독성이 일반 벌의 15배 수준이며 침도 계속 쏠 수 있다.

우리는 너무 아파서 '꿍꿍' 앓는 소리를 내니 간호사들이 덩치는 큰 사람들이 벌에 쏘여서 소리를 낸다고 자기들끼리 웃고 하는 모습을 보고 참 환장할 지경이었다. 물론 우리도 어이가 없어 침대 위에 누워 서로 마주 보며 웃기는 하였지만, 벌침 맞은 거로 간주하고 위로할 수밖에 없었다. 12시간 정도 치료를 받고 링겔도 맞고 해서 안정된 후에 밤늦게 집에 오긴 했지만 통증은 하룻밤을 꼬박 새우고 조금 나은 듯했다.

2008년 이곳 강림 산 중턱을 개발하여 만든 부지에 새로운 집을 짓고 생활하게 되었다. 이로 인해 이곳에 살던 곤충들은 변해버린 자연환경 속에 살게 된 것이다. 말벌들이 자신의 살던 곳을 지키기 위해서인지 집의 출입문 바로 위, 테크 마루 밑, 처마 끝에 집을 지었다. 에프 킬라로 죽이면서 집을 떼어내고 나면 며칠 후 새로운 벌집이 다시 있고, 그러면 또다시 떼어내는 일을 반복하였다. 결국은 벌에 쏘여 병원 신세를 지고 말았다.

한 번은 집 뒤에 있는 석축 주변을 지나가다가 이번에는 경계 중인 땅벌을 건드렸는데 석축 사이에 있는 땅벌들이 한꺼번에 달려들어 죽을 고비를 넘겼다. 땅벌은 말벌과에 속하는 벌의 한 종류로서 수액이나 과일을 주로 먹지만 작은 곤충을 사냥하기도 한다. 주로 땅속에 집을 짓고 사는데 먼저 건드리지 않으면 사람을 쏘지 않으나 둥지를 건드릴 경우 몇십 마리가 떼를 지어 공격하기도 하니 조심해야 한다.

이번에는 집 뒤에 있는 산에 도토리를 주우러 올라갔다가 허름하게 생긴 폐벌집을 건드려 벌떼들의 공격을 받았다. 손을 저어 울부짖으면서 도망갔지만 계속 따라와 쏘는 바람에 자그마치 열두 곳이나 쏘였다. 정신없이 산에서 내려와 집에 있는 차를 간신히 운전해서 보건소엘 가서 치료를 받았다. 집에 와보니 아들이 생일선물로 사준 손목시계가 없어진 것을 알게 되었다. 보건소에 확인하니 없다는 말만 되돌아왔다. 도망 다니느라 정신없는 사이 시계가 빠져나간 거로 생각되어 벌에 쏘인 산속으로 가서 조심스럽게 찾아보았지만 찾지 못하고 잃어버리고 말았다.

시계가 제법 고급 시계라 아쉬움에 몇 번 찾아가 보았지만 공허한 숲 속에서 이리저리 낙엽 속을 뒤지다가 돌아오는 헛걸음만 하니 아쉬운 마음만 남았다. 보건소에서의 치료는 응급조치밖에 안되어 다시 A병원에서 오일간의 치료를 받고서야 완쾌될 수 있었다. 벌에 쏘임으로써 시계는 없어지고 고통을 받아야 하는 피해가 발생하게 되었다.

벌에 쏘임으로 인한 물적 피해와 신체적 고통은 적과의 전투에서 패함으로써 받는 손해로 생각할 수 있다. 또한 건드리면 공격하는 벌의 특성은 북한이 대한민국을 건드리면 벌떼처럼 달려드는 전 세계 우방국에 의해 존재하기 어렵게 된다는 교훈을 준다.

다행히 요즈음은 벌들도 새로운 환경에 적응하게 된 건지 아니면 새로운 정착지로 이동했는지 집 주변에는 벌집 구경하기가 힘들고, 처음에 많이 보았던 반딧불이, 하루살이, 날벌레들도 많이 줄어들었다. 대신 다람쥐만 늘어 동네를 휘젓고 다니면서 앵두와 과일만 훔쳐 먹어 대고 있다.

벌이 은거해있는 산속에 도토리를 주우러 다니지도 않고, 집 주변에서 떨어진 알밤이나 줍고, 갈대 풀 속은 조심해서 건드리고, 벌 3-4마리가 보이면 그 주변에는 반드시 땅벌이나 말벌이 있으니 조심하고 있다. 이제는 벌에 자주 쏘여서 면역성도 커졌지만 벌만 보면 쏘임에 대한 방어적 마음가짐과 즉각적인 행동으로 대처하고 있다. 결국은 개발이라는 미명으로 파괴된 자연환경 속에서 자신과 종족을 지키기 위한 방어적인 벌의 공격은 사람들에게 많은 정신적·육체적 고통을 준다. 요즈음 사회적인 이슈가 되고 대한민국을 중심으로 일어나고 있는 국제환경의 변화와 북한의 미사일 공격에 대해 어떻게 방어적인 체계를 갖추어야 하는지 생각하게 되는데, 국민의 단합된 힘이 곧 훌륭한 벌의 침과 같은 강력한 무기임을 깨닫게 되었다.

흰 눈 속의 걱정

마늘 심어 놓은 게 걱정이 된다. 추워지기 전에 비닐로 덮어 두어야 하는데, 빨리 시골로 내려가야 한다. "시골은 전번에 다 정리했다면서 내려가느냐"는 조 회장님의 물음에 "마늘에 비닐을 덮어야 한다."라고 대답했더니 짚으로 덮는 게 아니냐고 말씀하신다. 요즈음은 짚이 논에서 타작하기 무섭게 사료가 되는 바람에 비닐로 덮어야 한다.

학교 수업이 끝나고 다음날 일찍 강림으로 내려왔다. 우리 집 옆에 새로 짓는 집을 구경하면서 우리 집과의 경계를 얼마나 띄웠는지 일조권에 따른 거리를 재확인해보았다. 겨울에는 해가 떠 있는 곳이라 건축 조례에 따른 간격이 띄워져야 한다.

작업복으로 갈아입고 서둘러 농원으로 올라갔다. 허허한 벌판이 눈에 들어온다. 일주일 사이에 모든 나무 잎은 떨어지고 가지만 남아서 주인 오기를 기다렸나 보다. 농기구 창고의 문을 열고 비닐을 꺼내어 마늘 밭에 덮어준다. 작년에는 주변에서 가장 잘되었다는 평을 들었는데 올해에도 잘되기를 기원해본다.

마늘 사서 먹으면 되는데 하고 말하면, 교통비 들여가면서 고생하면서 이렇게까지 해야 되느냐 하고 생각해 버릴 수도 있지만 농사짓는 사람의 농심은 순수한 천심이기 때문이다.

집으로 돌아와서 짐 정리와 옷 정리를 하는데 입지도 않는 옷들이 처치 곤란이었다. 수원에서 가져온 헌 옷과 함께 이곳에서조차도 실제로 입지 않는 옷은 보따리에 싸서 버릴 준비를 해두었다. 옛날 옷 때문에 울었던 생각이 난다. 6 · 25사변 후 미국의 구호물자로 받은 기계 정비복을 어머니가 남강에서 빨래하다 잊어버려서 울었다. 격세지감을 느낀다. 그래서 옷 한 가지도 마음대로 못 버린다. 옷 수거함이 없어 수원으로 가면서 리에서 운영하는 재활용 수집장에 버린다.

새벽녘에 일어나서 바깥을 보니 세상이 흰색으로 변해있다. 일기 예보대로 십 센티미터의 첫눈이 내렸다. 소나무 위에 눈이 탐스럽게 앉아있다. 된장 간장 익어가는 모습 안 보이게 덮어주려고 장독 위에도 내리고, 낙엽 진 앞산에 새로운 경치 보여 주려고 흰 눈이 내렸나 보다. 아직 어둠이 완전히 걷히지 않은 세상 모습을 성질 급한 나는 첫눈 사진을 찍어서 카톡으로 학우들에게 보냈다.

일어나자마자 밤새 요통, 관절통으로 잠 못 이룬 하소연을 시작한다. 눈물도 흘릴 것 같은 애절한 고통의 하소연을 듣는 것을 뒤로하고 밖으로 나갔다. 요즈음 들어 부쩍 통증 하소연을 자주 한다.

마루부터 쓸고 정원 디딤돌을 쓴다. 동네 길은 해가 나면 바로 녹을 것 같아서 그냥 두기로 했다. 윗동네 사는 오 사장이 알아서 차 다니는 길을 쓸 것이다. 차에 있는 눈도 쓸어내린다. 빗자루로 정원에 내린 첫눈을 쓸면서 천지신명께 비는 마음으로 집사람 아픈 곳도 제발 흰 눈처럼 깨끗하게 해달라고 했다. 이웃집 짓는 공사 현장은 눈이 와서 오늘은 공치는 날인가 보다 생각했다. "풍- 풍" 하는 소리가 나기에 쳐다보니 목조 공사를 맡은 사장이 아침 일찍 출근하여 현장에서 '바람 쓸기'로 현장 건물에 눈을 쓸고 빗자루로 올라오는 도로를 깨끗하게 한 후 공구 차를 가지고 와서 일하기 시작한다.

집사람이 공사 현장으로 내려와서 나무 도마 하나를 부탁했다. 가장 좋은 나무를 골라 주니 도마 두 개를 만들어 준다. 사포로 깨끗하고 부드럽게 문지르는 일은 나의 일이다.

작은아들도 수원 광교에 자신이 거주할 집을 짓고 있다. 눈 속에 어떻게 되고 있는지 궁금하여 전화해본다.

"눈이 오는데 어떻게 잘되어 가나?"

"예, 아버지 그런대로 이사는 하겠습니다."

눈이 오니 고생이 배가 된다. 걱정하는 마음 외는 특별히 도와줄 일이 없어 답답하기만 하다.

아랫집 십년 차 귀촌 부부가 다시 도시로 복귀하고 빈집으로 둔 것을 눈이 내리니 궁금했는지 새로운 집주인이 집을 둘러본다.

어제 수능 시험을 본 학생들은 오늘 아침의 흰 눈을 편안한 마음으로 새롭게 감상하겠지. 그동안 마음 졸인 시험을 치렀으니 속이 시원하겠지. 약간의 추위와 지진의 걱정보다 눈 속의 교통 전쟁이 더 어려울 것 같다는 생각도 해본다.

신문 사회면을 덮은 어두운 기사들을 모두 흰 눈으로 덮어버리고 하얀 도화지로 만들어 즐겁고 재미있는 웃음이 있는 사회를 그리고 싶다.

　어제 잘 내려왔지. 그리고 마늘에 비닐도 적절한 시기에 잘 덮었다. 이번 첫눈은 눈이 내림으로써 갖게 되는 마음의 걱정보다는 편안함을 안겨주는 것 같다. 눈이 많이 오면 내년 농사가 풍년이 된다는데 첫눈을 바라보면서 내년의 풍년도 기원해본다.

농사일 해야 하나?

할 일이 많다. 머릿속에서 올해의 농사 프로그램이 계속 재촉한다. 원래 성질 급한 사람이 나이 먹으면 조금 수그러들어야지 아직도 그대로다. 농원은 변함이 없다. 다만 냉이가 봄이 서서히 다가온다는 소식을 조금씩 밭고랑에 뿌리고 다닌다. 8년을 기다려서 알게 된 수놈 구지뽕 나무의 잘라진 뿌리를 뽑아내기 위해 사력을 다하면서 있는 욕 없는 욕을 다한다.

그래도 도시에서 놀면 뭐하나 하는 생각으로 올해도 벌써 2월에 눈 속에 제초제 카소린을 농로에 살포하였고, 3월에는 나무 소독약도 과수나무에 살포하였다. 요즈음 할 일은 농원을 정리하는 일이다. 비닐을 걷어내고 흙을 복토하여 밭으로 만들고 나뭇가지를 치우는 일을 하다 보니 작년에 베어낸 복숭아와 구지뽕 뿌리를 캐내는 일이 힘들다.

십여 년 전 이곳에 백천농원이라는 이름으로 소일거리 농사일을 시작하였다. 우선 어릴 때 고향에서 배고파서 먹었던 추억이 담긴 자두나무를 무조건 심었다. 심고 보니 주변에도 자두나무가 많이 보였다. 지역 특성에 맞는 나무인 것 같아서 다행이었다. 그리고 텔레비전에서 몸에 좋다는 나무는 매년 몇 그루씩 사서 심었다. 구지뽕 나무, 헛개나무, 마가목, 아로니아, 오디 등 20여 가지 나무를 심었다. 나무 사이의 공간에 밭을 일구어 채소를 심어서 힘든 농사일은 조금 일을 줄여 농사를 지을 수 있게 만들었다.

그러나 막상 일을 하다 보니 힘으로만 할 일이 있는 것도 아니고 해서 국제 사이버대의 웰빙귀농학과를 다니면서 이곳저곳 모범 농부의 농장을 견학하고 체험 학습을 통해서 많은 것을 배워 농원에 적용하면서 농사일을 하였다. '국제 사이버대 동문 농장 1호'라는 칭호도 받고 학생들이 견학도 왔었다.

전원생활 일지 작성은 처음부터 하였지만 영농일지는 사이버대 졸업하고부터 열심히 작성하다 보니 이제는 이 지역의 어느 정도 농사 일정은 숙지하게 되었다. 4월 초에 감자 심고 강황과 생강 등을 먼저 심는다.

각종 천연 제초제의 성분과 살포 시기를 알고 나서부터는 예초기 작업을 하지 않고 있다. 몸에 좋다는 건강식 채소 위주로 심어서 나누어 먹고 있다. 농약을 안 쓰고 기른 채소로 자연식을 즐기면서 전원생활의 재미를 느끼고 있다. 몸에 좋다는 우슬, 참마, 더덕, 도라지, 헛개나무 열매 등 약제도 심어 꾸준히 차로 다려 먹는다. 특히 김장채소를 재배하고 고추를 키워 순수한 영양식 김장을 이곳에서 하여 김장 작업에 참가한 아들과 사돈네가 함께 나누어 먹는다.

요즈음은 3도 4촌의 생활을 하고 있다. 앞으로 이사도 해야 하고

136

집사람 발목 고정핀 제거 수술도 해야 한다. 그리고 칠순 잔치로 북유럽 여행도 가야 하는데, 더욱 문제가 되는 것은 농사꾼의 자세가 조금씩 앞으로 기울어진다는 것이다. 땅과 가까워지고 있다. 허리가 아프기도 하고, 앞으로 굽어지려고 하고, 장애 있는 팔목도 아프고, 이래저래 늙었다는 이야기가 나오는 세월 속에 서 있는 나를 본다. 더구나 금년부터는 집사람이 허리와 무릎이 아프니 집안일을 하겠다며 농원엘 가지 않으려고 해서 나 혼자 농사를 지어야 한다.

안면 경련은 5년째 아직도 낫지 않고 있다. 많은 돈을 들여 약을 먹긴 하였지만 재발하는 바람에 견딜 만한 수준에서 참고 지내고 있다.

"견딜 만하면 참고 사세요."

서울 분당 병원에서 의사가 한 말이 생각난다. 그래서 간혹 짜증도 낸다. 힘들어서 보다도 그냥 짜증이 난다. 깨어진 독에 물 붓기는 안 되어야 할 텐데 걱정이다.

작년 가을 학기부터 아주대 평생교육원의 문예창작반에서 수필을 배워서 문단에 등단도 하고 작가로서 경기 수필에 회원 신청도 해두었다. 문우들의 개인적인 도움으로 조금씩 나아지고 있긴 하지만, 계속 작품을 써야 하는데 도무지 문학 형성이 되지 않는다. 어떤 분은 시골에서 자연과 더불어 살다 보면 심성이 변하여 많은 문학적인 소재 발굴과 정서적인 표현을 할 수 있을 것이라고 조언하기도 하였다.

전원생활이 50대의 로망으로 생각하는 사람이 많다고 한다. 나의 전원생활은 농사로 인하여 힘들게 지나가고 있는 것 같아서 나 자신도 답답하다. 조그만 성격이 너그러워져서 여유를 갖는 생활을 해야 한다.

농사일을 조금 더 줄이고 욕심 부리지 말고 마음을 비우고 살아야 한다. 건강 위주로 살아야 한다고 생각한다. 이제는 자서전도 정리해서 만들어 두어야 하고 수필가로서 글도 더 써야 하니 이래저래 조용하고 편안하게 살아야 하겠다고 생각한다.

나이 칠십을 넘긴 부부가 시골에서 농사꾼으로 살기보다는 전원 요양원 생활을 한다는 생각으로 삶을 영위해 나간다면 큰 문제는 없을 것이다.

6장
보람찬 하루를 보낸다

1999.9. ~ 2014.10.

걷기 단짝

이웃에 사는 김 대장에게 카톡을 보냈다. 내일 특별한 일이 없으면 같이 '수원천 둘레길'을 걸어서 '메기찜'을 먹고 오자는 내용이었다. 한참 동안 답이 없더니 저녁 무렵이 되어서 연락이 왔다. 내일 오후 5시에 약속이 있으니 그전에 종료될 수 있으면 가겠다는 것이다. 다음날 아침 열 시에 '망포역' 3번 출구에서 만나 함께 '수원천'을 걸어가면서 작년까지만 해도 걷기 단짝으로 같이 다니던 임 형 생각이 나서 이야기했다.

임 형과 나는 '인도행(인생길 따라 도보로 여행의 준말)' 카페에서 만났다. 닉네임이 '에어포스'라는 분이 리드하는 수도권 걷기 모임에서 만나 같이 걸어가면서 이런저런 이야기를 하다 보니 서로 통하는 바가 있어 항상 함께 다녔다. 임 형은 체력이나 몸의 생김도 단단하여 나이에 비교해 건강한 편이고 학교에 봉직한 분으로서 배울 것이 많은 분이셨다.

카페 걷기를 하는 동안 둘이서 여자 꽁무니 따라다니느니 별도로 코스를 정하여 함께 걷자는데 합의를 하였다. 대표적으로 분당 중앙 공원에서 분당천을 따라 걷고 점심은 '코다리' 정식을 먹는 코스와 불곡산을 등산하여 서울대 분당병원으로 내려오는 코스 등 임 형의 집 근처인 분당 쪽은 임 형이 안내하고 다녔다.

광교산 일대와 수원성 일원, '광교천 둘레길' 등 이곳 수원 주변은 내가 안내하는 식으로 둘이서 걷거나 '백천 산우회' 회원들과 합류하여 함께 즐겁게 걸으면서 다녔다.

청계산 주변에 주말 농장을 운영하고 있다면서 야콘을 자주 가지고 와서 먹기도 하고 친구들과 함께 그곳에서 생활하는 이야기를 하기도 하였다. 자신이 생활 일본어 정도는 하니 같이 일본을 가자고 약속도 하였다.

그렇다고 '인도행'에 아예 안 나가는 것은 아니고 특별한 원거리 행사나 모임이 있으면 참석을 하였다. 여수 바닷길 걷기 1박 2일 행사도 함께 가서 여수 오동도의 동백섬 오솔길을 걷고, 야간 조명이 찬란한 여수 대교를 걸었다. 잠잘 때 같은 방에서 가져간 약주로 둘이서 회포도 풀었다.

그날도 제천에서 1박 2일간 인도행의 연간 행사인, 전국에서 회원이 집결하는 총회가 있어 둘이서 함께 참석하여 제천 양반 길을 걷고 연수원에서 하룻밤 자고 올라왔다. 서울로 오는 버스 안에서 올라가면 내일 수원에 내려와서 함께 식사나 하자고 이야기를 했다. 고개를 끄덕이고 서로 약속을 했는데 집에 돌아오자 문자가 왔다. 내일 바쁜 일이 있어 만날 수 없다는 내용이었다. 할 수 없이 포기하고 그저 무슨 일이 생긴 것으로 알았다. 일주일이 지난 후 '인도행' 카페에 들어가서 총회 행사 다녀온 기념사진을 검색한 후 공지사항을 보니 임 형의 사망 사고 소식과, 부의금을 내었는데 가족들이 돌려주었다는 이야기를 적어 놓았다.

　나보다는 물론 연배이긴 하지만 나와 생활을 함께하던 나의 울타리가 무너진 것이 다. 깜짝 놀라면서 한참 동안 눈물이 나서 멍하게 있다가 정신을 차려서 '에어 포스'에게 물어보니 '월악산' 정상 부근에서 심장마비로 쓰러져 돌아가셨다고 한다.

　제천에서 양반길을 걸으면서 모처럼 함께 찍은 사진을 보니 환한 미소가 더욱 그리워진다. 평소에 사진을 잘 안 찍던 분이 그날은 등산로에서 잠깐 벤치에 앉아 쉬면서 함께 찍었다.

　나중에 알게 된 일이지만 임 형이 나와의 약속을 저버리고 동네 산악회의 권유에 못 이겨 산엘 가서 결국은 사망에 이른 것이다. 나이가 칠십 중반이 넘은 분이 연속으로 걷기와 등산을 하니 거기에서 오는 피로감으로 사망한 사고사였다.

　평소에도 자신의 죽음에 대해 준비를 하면서 산다고 했다. 자신이 현재까지 보관 중이던 책은 지하철 도서관에 기증하고 옷과 신발도 모두 정리했다는 이야기를 하면서, 딸이 오랫동안 필리핀에서 생활하다가 최근에 귀국하여 함께 생활한다는 이야기며, 집사람은 별도로 다른 걷기 모임에 나가고 있다는 이야기를 했다. 그렇다면 임 형은 자기의 죽음을 본인은 사전에 어느 정도 예상을 하고 준비를 했다는 생각을 해보기도 했다. 아무튼, 불의의 사고로 인하여 나와 함께 수원에서 식사만 했어도 괜찮았을 텐데, 무슨 등산 귀신이 불러서 갔는지 마음이 착잡하였다.

오 년을 함께 걸으면서 나의 길동무로서 인생의 후반 길에서 이 것저것을 이야기해주고 나누어주던 단짝은 이생에서의 만나자는 약속을 저버리고 다시 만날 아무런 약속도 없이 훌쩍 떠나갔다.

멀지 않은 날, 다른 곳에서 다시 반갑게 만나 길동무로서 서로 이 야기할 수 있을 것을 생각하면서 살아생전 나에게 준 교훈 같은 말 들을 실천하는 마음가짐을 갖고 살아가고 있다.

즐거운 걷기

최근에 새로 개발한 걷기 코스인 '왕송 저수지'의 겨울 풍경을 감상하면서 김 회장과 둘이서 천천히 힘 안 들이고 걸었다. 경비 근무는할 만한지 등 그간의 이런저런 일들을 이야기하면서. 나이 칠십 중반에 접어들었어도 아파트 경비로 출근하면서 쉬는 날에는 오늘처럼 같이 걷는 걸 즐긴다. 그간의 나의 걷기 활동에 대해 이야기를나눈다.

군 생활 동안 보병은 "3보 이상은 구보"라는 말이 있듯이 걷는 게일과였다. 겨울에는 대성산 비상도로의 제설작업으로 새벽부터 오르내리면서 싸리비로 눈을 쓸고 넉가래로 눈을 치웠다. '빼치카' 쏘시게 나무 하러 부대 주변 산으로 가서 땔감을 한 지게씩 메고 내려와 불을 때곤 하였다. 봄에는 산엘 다니면서 산뽕잎을 따다가 누에를 키웠다. 훈련으로 '대성산' 정상을 공격하여 구보로 올라가는 중대 전술 시험도 하고 대대 훈련도 하면서 모든 훈련의 근본이 걷고뛰고, 고지에 올라서 경계를 하는 임무라 걷는 게 전부였다.

전역 후 동네 산악회 회장을 6년간 하면서 우리나라에 이름 있는산을 찾아 산행을 하였다. 회갑 기념 등산으로 오 대장과 함께 둘이서 지리산 종주 등산을 2박 3일간 하기도 하였다. 등산은 60세 중반까지도 할 수 있었다. 칠십에 접어드니 산으로 올라가는 등산은 어려워 평지를 걷는 걷기 운동을 하게 되었다.

평상시에는 무조건 아침에 6시 30분에 집을 나와 40여 분간 걸리는 동네 코스를 걷는다. 집사람과 둘이서 걷거나 혼자서라도 걷는 걸 멈추지 않는다. 간혹 이웃 분과 함께 걸으면서 이런저런 이야기도 나눈다. 요즈음은 애완견 '딸기'와 함께 자주 걷는다.

아침에 집 주변이나 학교 운동장을 걷는 간단한 1시간 이내의 걷기는 '걷기 운동'이라 하고, 이동하여 만들어진 둘레길을 걷는 것을 '둘레길 걷기'라 한다. 1박 2일 등 숙박을 하면서 회원들과 함께하는 걷기를 '장기 도보 여행'이라 칭한다.

둘레길 걷기는 내가 가고자 하는 걷기 코스를 걷는 카페에 인터넷으로 신청을 하여 약속된 전철역에 합류하여 걷기를 한다. 가입된 걷기 카페가 6개 정도다. '아름다운 60대'에 주로 다니다가 '5670 아름다운 동행'도 간혹 가고, 가장 많이 다니던 카페가 '인도행'으로 수도권 주변만 다니는 걷기 카페이다.

걷기 하러 나가면 보통 육십 대 이후 은퇴한 사람들이 다수지만 여자분들이 많다. 여자분들이 좋아하는 사진 찍어 주는 남자가 가장 인기가 있고, 말 잘 붙이고 도움을 주는 남자가 두 번째로 목에 힘을 준다. 휴식시간에는 여자들로부터 음식 대접을 받는다. 팔십대 후반인 할머니도 직각으로 꾸부러진 허리는 개념치 않고 열심히 걷는 모습도 본다.

60대 초반에는 등산을 가지 않을 경우에는 '산하'라는 사이트에 들어가 주로 오지 탐험식 걷기 여행을 많이 다녔다. 오지는 산하에서 처음 개발한 걷기 코스로 지금은 유명해졌지만 그때만 해도 아무도 가지 않은 곳을 가서 점심은 그 지역에 있는 토속적인 음식으로 제공하는 바람에 인기가 있었다.

걷기 하는 동안 서로의 생활이나 지나온 일들을 이야기 나누다 보면 간혹 고향 친구, 같은 부대에서 군 생활한 친구, 같은 지역에 산 적이 있는 친구도 알게 되어 추억담을 나누기도 한다. 특히 점심을 여럿이 함께 앉아서 반주 한잔 곁들여 먹는 즐거움도 누릴 수 있다. 모든 식비는 1/N로 한다. 다만 총무는 음식점에서 식대를 면제해 준다. 여자분들은 총무를 서로 하려고 한다. 그래서 순번제를 정하여 하기도 한다.

항상 편안하고 즐거운 걷기만 하는 게 아니고 힘들고 고생되는 어려운 코스도 간혹 가기도 한다. '나길도'에서 주관하는 백제의 고도, 부여 둘레길을 처음 만드는 과정에 있는 코스를 부부가 함께 참가하여 더운 여름에 지쳐서 집사람이 주저앉는 바람에 생고생을 하였다.

카페에서 간혹 실시하는 장기 도보나 1박 2일 걷기 여행은 나이 먹은 우리들에게는 조금 어려움이 있지만 그런대로 즐거운 밤을 보낼 수 있는 보람이 있고, 친구도 많이 생긴다. 그리고 카페에서도 장기 도보를 다녀온 사람은 걷기를 많이 한 것으로 공식 인정되니 다른 회원들로부터 대접을 받게 되는 밑거름이 되기도 한다.

카페를 통한 도보 여행도 따라다니는 게 힘들기도 하고 여자들 틈에 끼여 다니기가 싫어서 결국 마음 통하는 사람과 함께 다니는 걷기 여행을 하게 되었다. 그동안 카페 다니면서 알게 된 세 사람과 함께 우리가 가고 싶어 했고 즐거운 점심식사를 할 수 있는 코스를 선정하여 함께 다닌다.

왕송 저수지 둘레길도 선호하는 코스 중의 하나이다. '어린이 대공원 둘레길', '분당천 둘레길', '탄천 코스' 등 겨울에는 주로 개천 주변의 평활한 코스를, 그리고 여름에는 낮은 산과 연결된 둘레길 코스로 '관악산 둘레길', '안산 길', '북한산 둘레길', '한양 산성 둘레길' 등을 걷는다.

왕송 저수지 둘레길은 의왕의 '왕'자와 매송의 '송'자를 따서 왕송 저수지로 명명되었다. 둘레길은 한 시간 반 정도 걷고, 소주와 추어탕으로 점심을 하면서 사는 이야기를 나눈다. 제일 좋아하는 걷기 코스는 수원천 둘레길 걷기를 하고 메기찜으로 한잔하는 것이다. 시간과 체력이 따라주면 광교 저수지도 포함하여 걷는다. 수원 사는 사람들에게는 점심 식사 겸 간단한 운동으로는 최고의 코스라 생각한다.

군 생활을 보병 장교로 지겹게 걸어서 전역 후에는 걷는 걸 싫어할 줄 알았는데, 동네 산악회에서 등산하면서 산행 길을 걷고, 개천 둘레길을 걷는 것은 건강에 좋다니깐 열심히 걷는 게 아닌가 생각한다. 삶이 곧 인생길이니 나는 오늘도 나의 인생길을 걸어가고 있는 것이다.

여행에서 생긴 일

전원주택 이웃인 윤 교수와 모처럼 저녁에 만났다. 윤 교수 부인의 특기인 빈대떡에 막걸리를 한잔하면서 두 분이 중국 황산을 다녀온 이야기를 하였다. 자신이 중어중문과 교수라서 호텔 방 선정 시 전망 좋은 곳을 차지할 수 있었다고 자랑하였다. 듣고 있자니 몇 해전 황산에서의 황당한 일이 생각났다.

황산을 다녀온 사람들이 갈 만한 곳이란 이야기를 하고 여행사에서 추천한 곳이기도 해서 4박 5일간 패키지 여행을 가게 되었는데 36명의 일행 중 대전에서 온 노부부가 있었다.

처음에는 별로 관심을 가지지 않고 그냥 관광 온 같은 일행으로 생각하고 조선족 동포인 가이드 자신의 출세 이야기를 들어가면서 이곳저곳 스케줄에 따른 구경을 하면서 다녔다. 그런데 가이드가 전화를 자주 받고 짜증 난 얼굴을 하기에 무슨 일이냐고 물으니 한국에서 전화가 오는데 대전 부부의 아들이라고 하면서 모친을 잘 부탁한다고 한다는 것이다. 가이드 말은 관절 수술한 사람을 산에 보내는 사람이 어디 있느냐고 하면서 앞으로의 여행에 어려움이 생길는지도 모를 예감에 속이 상한 것 같았다.

이틀간의 여행 일정이 지난 후에 서로 이야기하는 사이가 되다 보니 이런저런 이야기 중에 남자는 64세이고 여자는 66세로 대학 주변에서 하숙집을 운영하면서 생활한다고 하였다. 그리고 무릎 관절을 작년에 수술하였는데 아들 3명이 월 10만 원씩 1년을 모아 여행을 보내준 거라면서 남편 혼자 가기가 적적하다고 해서 따라나선 것이라고 말했다.

문제는 산에도 아직 올라가지 않은 상태에서 먼저 발생했다. 신고 다니던 등산화의 바닥이 떨어진 것이다. 가이드는 고무풀을 사서 부착하려고 해보았으나 붙지 않아서 끈으로 묶고 다니는 수밖에 없었다. 처음에는 아주머니 신발 바닥이 떨어지더니 시간이 조금 지나 저녁 무렵에는 아저씨 신발도 바닥이 떨어졌다. 나의 생각으로는 신발을 신지 않고 오래 두어서 바닥 고무가 삭아서 생긴 일 같았다. 가이드의 당황한 모습과 이분들의 아무렇지도 않은 태도가 재미있었다. 어쩔 수 없이 일행 중 다른 분의 운동화로 바꾸어 신고 산으로 케이블카를 타고 올라갔다.

산속에는 여러 갈래의 길이 있고 그 길에 설치된 무수한 계단 (1,600계단)을 따라 구경하도록 되어있었다. 무릎 관절 수술한 아주머니는 나무 막대 두 개를 지팡이로 만들어 짚고 일행을 따라다녔다. 아주머니의 지팡이 걸음은 그간 살아오면서 어려움이 많은 삶의 흔적을 보는 것 같은 생각이 들었다.

건강한 관광객들도 다니기 힘든 산행 길을 걷다 보니 항상 늦게 와서 일행을 기다리게 만들고 다른 곳으로 이동하는데 지체 시간을 소비하는 바람에 제대로 관광도 못하는 상황이었다. 그러나 모처럼 자식들이 보내준 효도 관광을 잘해야 한다는 사명감을 가진 것처럼 두 분은 손을 꼭 잡고 귓속말을 해가면서 즐거운 표정으로 구경할 곳은 다 보고 가야 한다고 하면서 다리를 절고 다니는 걸 보니 대단하시다는 말 외는 할 말이 없었다. 도리어 건강한 관광객들이 숙연해지기까지 하면서 그냥 많이 걸어서 다리가 불편하겠지 하고 편하게 생각하기로 하였다.

나머지 일행이야 어떻든 멀리 외국까지 와서 구경하고 가겠다는 부부를 다리도 불편하니 이번 코스는 쉬어서 다음 코스에 함께 가자고 입까지 올라오는 말을 할 수가 없었다. 아들이 전화를 하여 좋은 곳이니 다 보고 오시라고 했다면서 한 코스도 빠지지 않고 모두 구경을 하였다. 일행 중 젊은 몇 분이 가이드에게 항의를 해보았지만 가이드라고 뾰족한 방법은 없으니 예정보다 늦게 진행하여 몇 곳의 관광 명소를 누락시키는 길밖에 없었다.

"젊어서 노세 늙어지면 못 노나니"라는 말을 몸소 보여주는 시범식 교육의 장 같은 관광이라 마음이 편치 않았다.

모든 일정이 끝나고 공항으로 가는 버스 안에서 가이드는 미안함을 피력했으나 부부는 조용히 자리에 있기만 했다. 함께한 일행들은 노부부의 마음을 함께 응원하여 자식의 효도하는 마음을 생각하여 여행의 어려움을 이해하였으리라 생각한다.

아들은 부모님께 효도 관광을 시켜드렸다. 다만 깊이 생각을 하

지 못하고 관광지를 잘못 선택하여 생각지도 않게 부모님을 고생시
켰다. 부모는 아들의 효도하는 마음을 헤아려서 열심히 관광으로
보답하였으니 부모의 마음은 항상 하늘과 같다는 말이 새삼 느껴졌
다. 다시 한 번 삶에 대한 생각을 하게 하는 관광 여행이었다.

갑과 을

최근에 뉴스를 보면 갑과 을 관계가 많이 보도되고 있다. 갑이 제대로 큰소리칠 수 없는 소위 말하는 '갑질'을 할 수 없게 사회적 압력이 거세지고 있지만 사실은 처음부터 인간관계에서 갑을이 없고 대등한 관계여야 한다. 하지만 아파트 관리 업무는 갑을 관계가 특수한 경우라고 생각된다.

아파트 관리소장으로 5년 정도 근무를 하였다. 한 곳에서 꾸준히 근무를 하지 않고 이곳에서 7개월 근무하고 다른 곳으로 가서 또 그곳에서 근무하는 등 옮겨 다니면서 근무를 하였고, 아무튼 5년이란 세월은 몇 군데의 아파트를 거치는 바람에 총 근무 기간을 합한 숫자가 맞는 건 확실하다. 오랜 군 생활에서 몸에 배인 강직과 성실 때문이라고 생각하지만 아무튼 처음부터 골치 아프고 관리하기 힘든 아파트를 관리 업체에서 보직을 주었다. 그래도 나야 뭐 연금을 받고 있는 입장이다 보니 그냥 해도 문제가 없는 실정이라 아무 말 없이 힘든 아파트만 찾아다녔다. 업무나 근무가 힘든 게 아니라 동대표와의 인간관계로서 동대표들이 요구하는 일들이 어려움을 주었다. 그래서 7개월을 근무하면 고용보험을 탈 수 있는 자격이 되는 관계로 그 기간 동안 동대표들의 비리를 찾아서 해소시키거나 직원들의 근무 태도를 개선하는 등 아파트를 정상적으로 관리할 수 있도록 바로 잡아놓고 난 후에 사직하여 다른 곳으로 가는 경우가 많았기 때문이다. 그러니 대부분 관리소장으로 가기를 꺼리는 아파트로 가게 된다.

제일 처음 부임한 아파트가 수원에서 멀리 떨어진 화성시 장안면에 있는 400세대 미만의 작은 아파트로서 주로 기아산업에 다니는 사원들이 숙소로 사용하고 있는 아파트였다. 그곳에 가게 된 것은 관리소장이 관리비를 횡령하여 구속되는 바람에 새로운 관리회사인 '대한'이 이를 맡게 되어 나를 보낸 것이다. 알고 보니 직전 소장은 '서림'이라는 회사 소속으로 이분이 총각이라 사무실에서 자면서 부녀 회원 동대표들과 음주가무를 즐기며 아파트 관리비 일부를 횡령하여 사용한 사실이 드러났다. 이를 수상하게 여긴 새로운 동대표들에게 들통이 나는 바람에 관리소장이 구속되고 위탁관리 회사는 새로운 회사로 바뀌게 되었다.

새벽에 출발하여 40여 킬로를 달려 근무지에 도착하는, 출퇴근부터가 어려운 환경이었다. 그리고 경리 사고가 난 곳이라 제일 골치 아픈 회계장부와 씨름하다 보니 이래저래 어려움이 많았다. 다행히 관리 과장이 아파트 공사 시부터 근무하던 착한 분이라 많은 도움을 받았다. 근무를 하다 보니 동대표 회장은 기아산업 공장 화장실을 관리하는 직원이었고, 다른 대표들 역시 기아 산업 사원들로 구성되어 있다는 걸 알게 되었다.

통상 회장이 퇴근하면서 관리사무실에 들러서 결재를 하고 가는데, 결재 받으러 회사 근처 식당으로 오라는 연락을 받고 가보면 회사 직원들이 모인 자리에서 회장이 나에 대해 군장교로 전역하여 관리소장을 하고 있다는 소개를 하면서 자신이 회장으로서 윗선이라는 사실을 강조하고, 은근히 지신의 목에 힘을 주는 '갑질'을 하는 것이다.

근로자의 날에는 일부러 출근하게 해서 함께 술을 먹기를 바라는 것도 아무튼 자신이 이런 사람이라는 걸 보여주려고 한 것이었다. 다른 아파트에서도 동대표 회장이 고관절에 염증이 생겨 서울 삼성병원에 입원해 있으면서 그곳까지 결재 받으러 오라고 해서 갔다. 환자들이 모여 쉬는 휴게실 로비에서 결재판을 달라고 해서 주었더니 결재를 모든 사람이 보는 데서 하여준다. 가오를 잡아보겠다는 것이다.

업무적으로가 아니라도 소장이라는 사람을 자신이 데리고 부린다. 그러니 자신이 소장보다 낫다는 그런 점을 외부인에게 강조함으로써 자신의 인간적인 상승 효과를 노리는 것이다. 첫 근무지에서는 관리소장을 처음 나갔기 때문에 열심히 하려는 마음으로 근무를 하였지만 갑을 관계를 견디지 못하고 3개월이 지난 후에 마침 아들 결혼도 있고 해서 사직하고 말았다.

동대표들의 잘못된 행위를 보면 가지가지다. 밤중에 술 먹고 술이 취한 상태에서 기관실에 들어가 횡설수설한다든지 경비실에 근무하는 경비원에게 근무 시간도 아닌데 근무 잘못한다고 꾸중을 하는 행위, 아침부터 관리소로 출근해서 커피부터 점심까지 대접받고 자기와 함께 지내주기를 바라는 행위 등은 동대표이니까 가능한 일이었다. 그러나 이러한 행위들이 '갑질'이라는 걸 모른다. 아파트 근무를 하다 보면 동대표 회의 결정에 따라 업무를 집행하고 그 결과를 확인받게 된다. 그러다 보니 동대표는 주민의 대표이니 관리하는 입장에서는 무시할 수 없는 존재이다. 문제는 이러한 업무적 관계를 떠나 인간적인 관계까지 이를 이용하려는 동대표들이 있다는 것이다. 자신이 더 높고 위대하다는 허상을 버리지 않는 한 '갑질'이 끊이지 않을 것이다. 반성해야 할 사회적 현상이라 생각한다.

동대표의 부조리

위탁 관리업체에서는 관리소장으로 보내기만 하면 소장들이 한두 달도 근무하지 않고서 그만두었다. 새로운 사람을 뽑아 보내려고 해도 근무하러 가지 않는, 애로사항이 많은 아파트를 소개하였다. 나에게 도와주는 마음으로 근무해 달라고 이야기하였다. 부탁을 마다할 수 없어서 어쩔 수 없이 근무하기로 하고 S시에 있는 아파트로 갔다. 수원에서 멀리 떨어진 그 지역에서는 가장 오래되고, 그곳에 사는 분은 S비행장에 근무하는 군인 및 군무원으로서 외국인이 30% 이상 되고, 단지 내에는 영어로 된 게시판이 이곳저곳에 나붙어 있었다. 얼마 전까지만 해도 제법 지역 주민의 선호 대상이었다. 현재는 낡고 평수만 넓은 보기에 우중충한 아파트였다.

제일 먼저 한 일은 쓰레기 치우기이다. 언제부터인가 아파트 관리사무소 바로 옆에다 분리수거하지 않고 각종 지저분한 쓰레기를 산더미처럼 쌓아두고 있었다. 왜 안 치우는지 물어보니 치워도 계속 쌓인다는 것이다. 직원들과 함께 운반 차량을 불러 치워버리고 화단으로 정리를 해버렸다. 주민들이 시원하게 잘했다고 이구동성으로 칭찬을 하였다.

그리고 나니 대표 회장이 찾아와서 사정한다. 쓰레기 치운다고 운반 업체로부터 허위 전표를 끊어서 돈을 관리소장으로부터 받아 쓴 것이 이제는 할 수 없게 되었다고 하소연한다. 다른 방법으로 아파트 단지 내 낙엽 치우는 것을 시에 부탁하여 치우도록 할 테니 비용을 돈으로 본인에게 달라는 것이다. 그렇게는 못한다고 이야기하고 낙엽마저도 부대에 담아 단지네 후미진 한쪽 구석으로 치워버렸다.

그런 일이 있고 나서 얼마 후 동대표 회장이 잔뜩 목에 힘을 주고 자신이 S농고 출신으로 이곳에서 시의원도 하고 제법 지역 유지임을 자랑하면서 오늘 회식 때에는 시의원도 오니 준비를 잘 하라고 이야기하였다. 막상 시의원이 도착하고 보니 예비군 지휘관을 함께 하던 후배가 왔다. "형님 여기서 뭐 하세요" 하고 나에게 물었다. 이곳에서 관리소장을 하고 있다고 하니 회장에게 우리 형님 좀 잘 봐달라고 부탁을 하였다. 동대표 회장이 황당한 얼굴을 하였다.

한번은 한밤중에 집으로 전화가 왔다. 아파트 101동에 불이 났다고 했다. 급히 달려가 보니 불은 이미 꺼진 상태이고 다행히 소방서에는 늦게 연락했지만 꺼진 상태에서 출동한 거라 큰 문제는 없었다. 101동의 대표는 102호에 사는 서울 국제 우체국장을 지낸 75세 되는 사람이었다. 이분이 쇠고기 사골을 고면서 냄비를 불 위에 올려놓고 전철역으로 부인을 마중하러 간 사이에 사골이 타면서 냄새가 나니 불이 난 줄 알고 인접 주민들이 난리가 난 것이다. 냄새 나는 곳은 잠겨 있어 열어볼 수는 없고, 주민 한 사람이 기관실 기사에게 이야기했더니 근무자가 6층에 켜져 있는 전깃불을 보고 그곳에 불이 난 줄 알고 아파트 출입구의 출입문인 방화문을 장도리로 젖혀서 망가뜨리고 주민 중 용감한 몇 분들은 호스를 들이대고, 602호실에 들어가 보니 화장실에 있는 빨간 전구 하나가 불이 들어와 있는 빈집이었다. 그런 소동이 끝나고 조금 지나자 101동 대표가 돌아와서 문을 열어보니 냄비가 숯이 다 된 상태로 있었다. 다행히 불이 나지는 않아 한숨을 돌리긴 했지만 장도리로 망가트린 출입문은 어떻게 처리해야 할지 고민이었다.

사건을 일으킨 101동 대표는 처음 아파트에 부임하는 날부터 나에게 영어로 말하기 시작했다. 게시판에 떨어져나간 영어 알파벳을 지적하면서 붙이도록 지시하였다. 무슨 단어인지 알 수가 없어서 영어사전에서 찾아 만들어 붙였더니 칭찬하였다. 그 이후로 관리사무소에 들러서 차를 한잔하면서 근무자를 격려하고 가는 분이었다. 화재 사건은 고의로 출입문을 망가트린 것이 아니었고, 물론 본인의 착오긴 하지만 동대표 때문에 생긴 일이니 동대표 회의에서 관리비로 수선하자는 결정이 나서 수리비로 처리하였다.

그 후 경비 용역업체 선정에서 동대표들이 돈을 요구하여 돈을 거두어 놀러 다니고, 기존 경비업체를 교체하면서 많은 돈을 받았다. 그리고 3개월도 안 된 업체를 다시 바꾸려고 하였다. 경비 용역을 맡은 업체 사장이 와서 하소연했다. 욕심이 너무 지나치다. 동대표 회장에게 너무하는 일이니 최소 6개월 이상은 지나야 한다는 이야기를 해주었다. 그러나 동대표들이 바꾸자면 어쩔 수 없는 일로서 그 시절에는 가능한 일이었다. 이러한 일은 경비 용역을 바꾸면서 경비원의 연령을 예순 살 이하로 낮추는 바람에 십수 년 가까이 이곳에서 근무하던 경비원들이 연령 제한으로 모두 그만둔 게 문제가 되었다. 이분들이 각종 인연을 통하여 항의성 재취업을 요구하니 매일 경비원과 함께 하루를 보내던 동대표들의 처지가 난처해졌다.

관리소로 전화가 쉬지 않고 왔다. 자신이 참석한 동대표 회의에서 결정한 사항으로 인하여 퇴직시킨 경비원을 다시 재취업시키라고 요구했다. 이를 해결할 방안은 다시 동대표 회의를 소집하여 안건으로 처리하는 방법 외는 없었다. 그냥 자신들에게 돈을 많이 준 업체를 시키다 보니 결국 이런 일이 발생한 것이었다.

봉사직인 동대표를 주민들이 서로 안 하려고 한다. 오래된 아파트일수록 더욱 그렇다. 그러다 보니 봉사한다는 정신을 가진 사람보다는 자신의 욕심을 채우려는 사람, 아무런 관리에 관한 지식도 없는 사람으로 동대표들을 억지로 숫자만 채우는 구성을 하다 보니 부정적인 사고가 발생한다. 동대표의 안하무인(眼下無人)격인 행동으로 아파트를 수렁의 구렁텅이로 몰아넣는 것이다.

이곳에서 근무를 꺼리는 이유가 근무지가 멀리 있어 출퇴근의 어려움도 있지만 동대표들의 구조적인 부조리에 맞서 싸우는 것이 더욱 큰일이기 때문이었다. 결국 인간의 욕심이 모든 문제를 만들었다. 그 속에서도 강직과 성실로 관리 업무를 하는 관리소장이 있어 그래도 주민들의 피해를 최소화할 수 있었다. 주민들이 입주 초기처럼 내 집같이 아끼고 사랑하는 마음을 갖기를 바랄뿐이다.

160

내 집 중개

사람이 살아가면서 해결해야 할 가장 기본적인 욕구가 생리적 욕구이고, 그중에서도 의식주를 해결하는 문제일 것이다. 입고 먹고 잠자는 집이 있어야 하는데 집을 구하기가 그리 쉽지 않다. 군 생활하는 동안은 월세방을 전전하면서 살다가 전역하고 난 후 융자를 끼고 겨우 집을 구해서 살고 있었다. 그런데 이 집을 내가 어쩔 수 없이 팔게 된 사연이 있다.

00년도에 실시한 공인 중개사 시험에서 합격한 후 동네에 여러 사람들과 의논도 하고 조언을 받아, 특히 부동산업을 하던 연세 있는 두 분의 지원을 받아 동네 삼거리에 '백천 공인중개사무소'라는 사무실명으로 간판을 걸고 개업식을 한 후 2001년 1월에 개소하였다. 당시에는 부동산이 한 군데 있을 뿐 공인중개사는 처음이라 많은 사람들의 호기심 어린 눈 속에서 개업하여 근무를 하였다.

세류1동에서 예비군 동대장을 13년을 하였고 현재도 동네에 살고 있는 주민이니 주변에 아는 분이 많았고, 그분들의 부동산에 관해서 여러 가지 의논과 조언을 하면서 한편으로는 동네일에도 참여하여 명실 공히 사무실이 주민 대표들이 모이는 장소가 되어 점심시간이면 몇 사람 모여 함께 사강이나 남양으로 식사하러 다니면서 즐겁게 지냈다.

"형님! 부동산 계약서 좀 써주세요" 하면서 이미 두 사람이 매매에 대한 합의를 한 후 찾아와서 계약서만 써달라고 하였다. 계약서를 써주면 중개수수료가 얼마냐 물어보고 나서 주고 간다. 중개업자로서 중간에 아무런 활동을 하지 않고 그냥 수수료를 받는 것이 미안하여 사양하면 더욱 받을 것을 요구하여 할 수 없이 받았다.

정 사장은 지금은 99평의 건물을 짓고 그곳에서 오리 음식점을 크게 하면서 지역 봉사활동도 열심히 하고 있었다.

세류1동 지역이 재개발된다는 소문이 돌아 부동산을 구입하고자 하는 사람들이 몰려 왔다. 그러나 언제 사업 계획이 시행될지가 미지수라 어쩔 줄 몰랐다. 그런 사항하에서도 투기하는 분들이 많아서 부동산 매매가 그런대로 되었다. 김 사장은 집에다 지적도를 붙여 두고 이곳저곳을 다니면서 오래된 집들을 용인의 한 새마을금고에서 대출을 받아 구매하고, 구매한 집으로 다시 대출받아 다른 집을 구매하는 방법으로 5채를 구매하여 보유하면서 구입한 부동산은 월세를 놓아서 관리를 하였다. 지역 개발이 시작되기만을 기다렸다.

주변에 공인중개사 사무실이 우후죽순처럼 늘어 갔다. 처음에 하나뿐이던 사무실이 10개가 되어 재개발에 대한 기대를 부추기며 서서히 돈을 노렸다.

무당을 하는 아주머니가 집을 매입하기를 원하여 연립주택 지하를 중개하였는데, 계약서까지 작성한 매도자가 안 팔겠다고 하면서 계약관계 무효를 주장했다. 연립주택에 사는 분이 약간 모자라는 분이고 해서 더 이상 계약금을 변상해야 한다는 다른 말을 해도 소용이 없었다. 무당은 그럼 나는 어떻게 하느냐고 하소연하면서 계약까지 했으니 중개사님이 책임지라는 항의를 하여 할 수 없이 내가 살던 집을 팔기로 한 것이다.

지하실이 마침 무당 신을 안치하기에 적당하고 돈이 부족한 것은 새마을금고 대출을 받아서 하면 되었다. 우리 집에 20년간 살면서 모든 일이 잘되었다는 미신적인 이야기를 집사람이 무당에게 들려주었다.

공인중개사 사무실을 운영하면서 몇 건 안 되는 매매와 전월세 활동을 하였지만 그래도 월 2백만 원 정도의 수입은 되었다. 전월세는 집사람이 해결하였고, 사무원으로 계신 두 분과 호흡도 맞아 운영에 문제는 없었으나 사업 생리상 약간의 사기성이 있어야 하는 일이라 군생활로 인하여 몸에 배인 강직한 성격으로 인하여 어려움이 많아 그만둘 생각을 하고 있었다.

마침 우리 집과 이웃하며 동생처럼 지내는, 철물점을 하다가 보상을 받은 형기가 공인중개사 자격증을 따서 개업을 한다기에 사무실의 집기와 전화기까지 인계해주고 백천 공인중개사 간판을 내렸다. 전세보증금을 받으러 갔더니 유리창 안내문을 지워야 준다기에 유리창에 붙인 안내 글자를 지우느라고 애를 먹었다. 공인중개사를 처음 개업한 후 생긴 첫 수익금으로 영업보증용으로 보관하였던 백만 원은 두 분에게 40만 원씩 통장으로 2년에 걸쳐 보내드렸다. 세류천변에서 만났을 때 고맙다는 인사도 받았다. 지금은 아파트 숲으로 변한 20년을 살던 고향 같은 동네에서, 몇 해를 공인중개사로 부동산업을 운영하면서 다시 한 번 사회의 탁한 물속에서 인간들이 살기 위해서 헤엄쳐 다니는 모습들을 객관적으로 보고 느끼는 세월을 보내고, 결국은 내 집 내가 팔고 그만둔 격이 되었다.

공진단

설날에 세배를 받는데 큰아들이 아버지 눈가에 주름이 떨린다고 이야기하는 게 아닌가. 이 눈밑 떨림이 '구안와사'라고 부르는 신경성 질환의 초기 증세로, 단골로 다니는 C한의원에서 침을 맞아도 별로 효과가 없었다.

신경 전문의인 조카가 현대식 치료를 받기를 권하므로 잘 아는 아들 친구의 형님이 운영하는 P요양병원으로 치료하러 다녀도 별로 나아지는 기색이 없어 의사 소견서를 받아 분당 서울대학교 병원에 가서 MRI도 찍고 이것저것 검사를 하였다. 의사 선생님이 이 증상은 낫지 않으니 그냥 사시라고 한다. 나이가 있어 수술할 수도 없고 정 어려움이 있으면 육 개월 후에 오셔서 보톡스를 맞도록 하라고 한다. 의사가 안 된다는데 그냥 살아야지 할 수 있나 하는 생각을 하게 되었다.

고향 후배가 Y한의원을 하면서 벌침으로 치료하니 한번 맞아 보라는 이야기를 듣고 치료를 받으러 갔다. 치료는 벌침을 직접 벌을 통해서 맞는 방법이 아니고 벌의 침에서 나오는 약물을 모아 정제하여 주사로 주입하는 방법으로, 벌침을 맞고 나면 일주일 정도는 좋아진 상태이나 다시 병증이 생기는 악순환이 계속되었다. 결국은 벌침 맞는 걸 그만두고 그냥 피로가 누적되지 않게 힘든 일은 안 하고 신경 많이 쓰는 일은 삼가면서 살고 있었다.

　강림에서의 생활도 십여 년 흐르다 보니 서로 인사를 하는 주민도 생기고 함께 지내는 친구도 생겼다. 장 반장은 나와 동갑이고 이곳에서 초등학교를 나온 지역 토박이로서 하우스 영농을 하면서 부부가 생활하고 있었다. 자주 만나 술도 한잔하고 영농에 관한 도움도 받고 부부동반으로 가까운 지역 여행도 다녀오고 하는 가장 친한 친구 사이였다. 부인은 새마을 부녀 회장직을 맡은 서울 출신의 대찬 여자로서 50대에 재혼하여 상주하게 된 사연을 가진 사람이었다.
　어느 날 안면 근육 떨림 현상에 대하여 이야기하면서 그간의 사정과 약도 없다는 이야기도 하였다. '공진단'이라는 약을 하나 주면서 피로 회복제이니 한번 먹어 보라고 하였다. 받아먹었더니 특별한 변화는 없었다. 가격이 엄청 비싸다는 이야기를 하면서 원주에 있는 한 약방에서 사서 먹는 것인데 90세 먹은 노인이 운영하는 소문난 한약방이니 아마 치료가 될 것이라며 한번 찾아가서 진맥을 받아보라고 하였다.
　당시 침도 안 맞고 약도 먹지 않으니 조금 악화되어 있는 상태라 한 번 같이 가보자고 하였다. 한의원도 아니고 한약방이니 별로 신뢰성은 없다는 생각을 하였다. 대학병원 전문의사가 낫지 않는다고 했지만 그렇다고 그냥 둘 수는 없고, 또 운전할 때 눈이 감기는 불편한 현상을 감당하기 어려웠다. 이곳저곳 다녀도 효과가 없으니 답답하기도 하였다.

한약방은 원주 경찰서 바로 앞 건물 이층에 있었다. 부녀회장의 소개로 인사를 하고 진맥을 해보니 피로와 스트레스가 쌓여 생긴 병이라고 하면서 자신도 똑같은 병으로 인하여 고생한 적이 있다면서 부녀회장이 나에게 준 약을 먹도록 권하는 것이다. 약은 삼 개월을 먹고 나서 이 개월을 더 먹도록 하라고 했다. 사실 한약은 바로 효과가 나타나는 게 아니고 약 또한 가짜가 많은 실정이었다. 무엇보다 청천벽력 같은 한마디는 술을 약 먹는 기간뿐만 아니라 앞으로 살아가는 동안 먹지 말라는 금주령이 떨어진 것이다. 하긴 그동안 많은 술을 먹긴 했지만 막상 먹지 말라하니 서운한 것은 물론 아쉬움이 많았다.

바짝 마른 체구에 입을 우물거리면서 의자에 몸을 맡긴 상태에서 한약사는 올해 나이 90세로서 이곳에서 육십여 년을 약방문을 열고 있으며 자신이 한약방을 하게 된 사연을 이야기했다.

사위는 바로 앞에서 정형외과를, 딸은 인접한 곳에서 약국을 하면서 지내고 있는 병의원 가족이었다. 한약사 어른은 자신을 알아주기 바라는 마음에서 이런저런 이야기를 했다. 또한 최근 같은 병을 가진 환자를 치료한 내용도 설명하면서 자신의 나이가 나이인만큼 진실성을 강조하였다.

한약사의 처방에 따라 복용을 시작하면서 약 대금이 비싼 관계로 1개월씩 현금으로 구매하여 복용하였다. 2개월 이후부터 서서히 효과가 나기 시작하더니 3개월 후에는 많은 차도가 있었다. 요즈음의 젊은 전문의들보다는 옛날 한약방 노인에게서 받은 처방이 효과를 발휘한 것이다.

2개월을 더 먹기를 권하지만 금액이 비싸 다음에 먹겠다고 이야기하고 난 후 인터넷으로 약의 성분을 알아본 후 비슷한 약을 구매하여 계속 복용하였다. 그러나 완전히 치료된 것은 아니고 많은 피로와 스트레스를 받으면 다시 병증이 약하긴 하지만 나타나는 현상은 피할 수 없었다.

살아오는 동안 교통사고로 단 한 번 병원 신세를 진 적 외에는 아픈 것은 안면 떨림 현상이 처음이다. 나이가 많다 보니 노인성 질환이 발병된 것이라 생각된다. 전원생활에서 스트레스 받지 말고 조용히 글이나 쓰면서 건강을 챙기는 것이 가장 좋은 치료방법일 것이다.

기억력

사돈 부부와 함께 점심 특선을 맛있게 먹었던 영통 주변의 한정식당 이름이 생각나지 않아 아내에게 물었다. 다행히 집사람이 알고 이름을 말하면 되는데 모르면 아들, 며느리 순으로 질문을 하여 해답을 찾는다. 집중력은 강한데 기억력은 없다는 말을 다른 사람들에게 자주 말한다. 사실 시험을 보기 위해 집중하여 암기한다. 잠자면서 꿈속에 나오기도 할 만큼 집중한다. 물론 시험일자가 가까워져 오면 밥 먹으면서, 도서관까지 걸어가면서, 전철에 앉아서, 차를 양지바른 곳에 세워두고 공부할 책을 가지고 차 안에서 공부하는 일명 '차 안 공부방'에서 시간을 보낸다.

시험이 끝나면 금방 잊어버린다. 물론 100% 다 잊어버리지는 않지만 보통 생각해서는 생각이 안 나고 누군가 옆에서 도움을 주면 겨우 생각이 날 정도이다.

올해에 마지막 자격시험으로 본 공인 2급 한자 급수 시험을 준비하면서 예상 문제집을 사서 한자 2천 자와 시조, 고사성어를 공부하였다. 한자 2천 자는 20번씩 쓰고 암기하였고 고사성어나 시조도 예상 문제를 풀고 또 풀고 하면서 암기하였다.

시험 보는 날 시험관이 "하봉수 어르신" 하고 출석을 부른다. 시험장 맨 앞에 앉아 있었다. 가만히 보니 나이가 가장 많고 해서 그냥 이름 부르긴 곤란하다는 생각에서 어르신을 붙인 것 같았다.

다행히 시험은 합격하여 '대한민국 한자 교육 연구회'에서 발행하는 '공인 2급 자격증'을 받았다. 자격증을 받았어도 시험 보기 전과 시험을 본 후의 한자 숙지 정도는 별 차이가 없을 정도로 한자를 알고 있을 뿐이다. 시험을 보기 위한 집중적인 공부는 도움이 되었지만, 기억력에는 별로 도움이 못 되는가 보다.

퇴직 후 시험을 처음 본 것은 삼성화재에서 지원자를 뽑아 보험 업무에 대하여 가르쳐 주고 예상문제도 풀고 한 후, 손해보험 협회에서 실시한 보험 대리점 개설 자격시험이었다. 보험설계사를 관리하면서 본사의 보험 업무를 대리하는 자격시험이었다.

당시만 해도 보험에 대한 인식은 보험이 많은 도움을 준다는 생각보다 귀찮아하는, 어쩔 수 없어서 가입하는 형태다 보니 누구에게나 좋은 인상을 줄 수 없었다. 이웃 사람들이 보험 들어 달라고 부탁할까봐 전전긍긍하던 시절이었다. 시험은 합격하였으나 업무는 아예 하지 않았다. 그래서 다시 공부한 것이 공인중개사였다. 학원이 '매산동'에 있어서 '세류동'에서 그곳까지 약 일 킬로미터 정도의 거리를 골목으로만 다니면서 암기 노트를 봐가면서 걸어가는 것은 기본이었다. 암기 내용으로 문장을 만들어 암기하고 다른 생각 않고 시험과목에 대한 내용만 생각하였다. 집중하여 공부했다. 나이 먹어서 공부한다고 고생한다는 말은 자주 들었다. 스트레스를 풀기 위해 간혹 술 한잔을 동네 친구들과 함께했다. 합격 후 사무실 운영은 직원으로 함께 근무하던 동네 분들이 도와주어서 했다. 그러나 사실 나의 성격과는 맞지 않았다.

노량진 '법학원'을 다니면서 '주택관리사' 시험공부를 할 때는 학원에서 식권을 사서 지정된 식당에서 식사하였다. 시중보다 싼 가격으로 점심 한 끼를 먹을 수 있고, 공부하는 수험생끼리 모여 함께 식사하면서 살아온 인생길에 대한 이야기이며 시험에 대한 예상 문제, 그리고 배운 내용에 대해 토의도 하였다. 같은 아파트 단지에 살고 배드민턴을 함께 치던 P씨의 아내 되는 미망인을 만나 같이 공부하였다.

노량진 고시촌은 정말 수험준비생으로 합격을 하기 위한 노력에 장날 같은 분위기였다. 합격을 가져다주는 명강의를 듣기 위해 새벽부터 줄을 서서 기다리는 젊은이들을 볼 수 있는 곳이다. 싼 가격으로 배불리 음식을 먹을 수 있는 곳이기도 하다. 꿈과 희망이 살아 숨 쉬는 곳으로 생각된다. 치열한 생존 경쟁의 현장을 목격하면서 삶이 어렵다는 생각을 했다.

각종 시험에 합격하기 위하여 집중하여 암기하면서 본인에게 알맞은 암기 방법을 총동원하여 암기한다. 시험을 본 후 합격한 후에는 잊어버리기 시작한다. 얼마 후 기억하려고 해도 생각이 나지 않는다. 공부한 걸 모두 기억한다면 뇌가 쥐가 날 것이다. 잊어버리는 게 당연하다는 생각도 해본다. 재미있는 일화가 있다. 택시를 타고 가던 승객이 운전기사에게 "기사 양반 지금 어디로 가는 거요?"하고 물었다. 기사 양반 하는 말이 "아니 손님은 언제 타셨어요?" 하고 묻는다. 손님 할 말이 없어 그냥 웃을 뿐이다.

열 시간 전 본인이 한 일을 기억하지 못하면 치매 초기로 의심해봐야 한다고 한다. 기사와 손님도 한번 생각해볼 만하다면 무리일까? 설마 공부한 걸 알지 못한다고 해서 치매 초기는 아니겠지. 글을 쓰면서 옛날 기억을 되살리기 위한 노력을 해야겠다.

마지막 실기 시험

아파트 관리소장을 마지막으로 직장 생활을 정리하고 2008년도부터 전원에서 밭농사를 열심히 하였다. 겨울에는 추워서 시골 생활하기 곤란하므로 수원에 있는 아파트에 살면서 시간을 보내고 있었다.

새벽이면 열어 보는 인터넷의 메일 수신란에 재취업에 관하여 안내 메일이 있어 자세히 읽어 보고 나니 한번 도전해보고 싶은 생각이 들었다. 겨울이고 무위도식(無爲徒食)하는 처지라 고용노동부 취업 상담소를 찾아갔다. 상담원은 재취업을 위해 노력하는 근로자 중에서 자신의 재취업 계획을 승인받으면 고용노동부 재취업 지원금 200만 원을 지원받을 수 있는 제도가 있다고 설명하면서 다만 새로운 취업을 위해 자격증을 취득해야 하는 과정에서 비용을 지원해주는 제도이므로 조경기능사 자격증을 취득하여 재취업하는 조건으로 재취업 지원 센터의 승인을 받았다.

수원에 있는 조경 전문 학원에서 조경기능사 자격 취득을 위한 공부를 3개월간을 출퇴근하면서 고용 노동부에서 제공한 지원금으로 학원비는 물론 식대, 교통비까지도 받아가면서 공부하였다. 우리 반에는 조경 현장에 근무하는 사람으로부터 젊은 여학생, 50대 중반의 주부를 포함하여 14명이 함께 수업을 받게 되어 지도 선생님의 안내로 서로 간 자기소개를 함으로써 수업이 시작되었다.

"사람은 죄짓고 못 산다"는 말이 있듯이 나이 먹은 주부는 나와 같이 방송 통신대에 다니던 K씨의 부인이라는 게 이야기 중에 알게 되어 더욱 반가웠다.

버스로 출퇴근하면서 같이 공부하게 된 사람들과 점심 식사는 매일 새로운 반찬과 따뜻한 밥을 해주는 식당에서 식사를 하였다. 또한 일주일에 1회씩 반원 전원이 참석하는 주간 회식을 함께하면서 서로 대화를 통하여 각자의 생활 여정에서 나오는 이야기와 서로의 마음을 나누면서 부드러운 반 분위기 조성에 함께 노력하였다.

공부는 우선 1차 필기시험에 대비하여 학원에서 만든 교재와 시중에 판매하는 문제집을 사서 공부를 하였다. 시험은 1차 필기와 2차 실기 시험으로 구분하여 실시하는데 1차 필기시험에 합격해야만 2차 실기 시험을 볼 수 있는 자격이 주어진다. 1월에 실시한 필기시험은 객관식 40문제로 40분에 치르도록 하였고, 24문제만 맞추면 합격하는 시험에서 14명 중 2명을 제외한 나머지 12명은 모두 합격하였다.

그간 살아오면서 여러 종류의 자격시험을 치러 합격하여 공인 중개사, 주택관리사 등 9개의 자격증을 소지하고 있으나 나이가 나이인 만큼 시험이 쉽지는 않았다. 1차 시험에 불합격한 사람은 제일 젊은 여학생과 현재 조경 업무를 하는 사람 중 젊은 남자분이었다. 젊은 두 사람은 아마 너무 쉽게 생각하고 공부를 게을리 한 것으로 생각된다.

1차 필기시험에 합격한 사람에 한하여 2차 실기 시험 준비를 1개월간 하고 2차 실기 시험을 보도록 되어 있는데, 실기 시험은 조경 배치도 그리기, 나무 종류별 식별하기, 나무 심기, 나무 영양제 주입, 보도블록 깔기 등을 연습하는 수업을 한 후에 2차 실기 시험을 보게 되었다

조경 기능사 마지막 실기 시험은 수도권 지역의 농업계 고등학교에서 실시하는데 재빠르게 응시지원서를 내는 바람에 운 좋게도 가장 합격률이 높다고 학원생이 선호하는 '천안 제일 고등학교'에서 응시하게 되었다. 시험장이 같은 동료들과 함께 아침 일찍 천안으로 내려가 학교에 있는 각종 나무들을 눈으로 보면서 구별하는 방법을 암기하느라 교내를 돌아다니면서 열심히 공부를 하는 시간으로 시험에 대한 걱정의 마음을 안정시키고 있었다. 사실 2월이라 가지와 잎이 제대로 나오지 않은 상태라 나무를 구별하기가 어려웠다. 시험장도 확인하고 학교 안팎을 구경하며 시간을 보냈다

시험이 시작되어 열심히 조경 설계도를 그리고 있는데 시험 감독관이 커피를 타서 들고 와서는 나에게 먹으면서 시험 보라고 한다. 시험 중에 일어난 일이라 황당하기도 하고 시험도 봐야 하는 마당이라 "고맙습니다만 조금 있다가 먹겠습니다"라고 말하고 나니 그 시험관의 멘트는 나를 가리키면서 "이분이 이곳 시험 응시자 중에서 가장 연장자라서 대접한 것"이라고 한다.

시험이 끝나고 나서 시험관에게 아까 커피는 고마웠다고 말을 하니 본인이 49년생인데 오늘 이곳 시험 응시자 중에서 49년생은 3

명이 있었지만 46년생은 지금까지 처음이라면서 정말 대단하다는 내용의 칭찬을 했다.

"점심이라도 함께 하시죠. 시험도 끝났는데" 하면서 같이 동행할 것을 이야기하였으나 동료들과 함께 하겠다며 "부럽습니다. 살아가는 모습이" 한마디 던지면서 교문 쪽으로 걸어갔다.

가만히 생각하니 이제 나이를 먹을 만큼 먹은 것 같다는 생각이 들면서 나이 70세라도 마음만은 청춘인데, 할 수 있는 데까지 최선을 다해야지 하는 다짐을 한다.

며칠 전 사이버 대학 졸업식에서도 대학 총장의 훈시에서 "오늘 나이 70세인데도 배움의 끈을 놓지 않고 열심히 노력하여 영예의 졸업을 하시는 하봉수 님에게 경의를 표합니다."라는 말과 함께 총장 표창을 받은 일이 생각났다.

동네에 서 있는 마을의 수호신인 당산나무가 수백 년이 지난 오늘도 굳건히 마을을 지키고 있는 것은 세월은 흘렀어도 열정을 갖고 살아가기 때문일 것이다.

7장

나를 이기고 오늘에 서다

2015. ~ 2017.

건강한 삶

지에스마트 앞에서 김 대장을 열 시에 만났다. 오늘이 최고로 춥다고는 했는데 바람이 별로 안 불어서 그리 춥지 않다고 이야기하였다. 옷은 추위에 대비하여 두툼하게 입었는지를 서로 확인해 주고 나서 '망포역'으로 향했다. 김 대장이 "형님! 추운데 등산 가방은 왜 메고 오셨는지?"라고 묻는다. 감귤 몇 개와 초콜릿, 사탕을 넣어 간다고 했다. 지난번 '원천천' 걸을 때는 조금 힘들었다는 이야기도 했다.

전철 안은 출퇴근 시간을 지나서인지 약간 여유가 있어 보이고, 마침 비어있는 경로석 자리가 있어 앉아 갈 수 있게 되었다. '수내역'에서 내려 걷기 시작한다. 지난주에도 김 회장과 오 장군, 나 세 명이 이곳을 걸었다. 두 시간 정도 소요되는 무난한 걷기 좋은 코스다.
먼저 '중앙 공원'으로 가서 볼일을 보고 이웃한 안내판을 보면서 오늘 걸을 길과 다음에 걸을 길인 탄천 방향도 함께 설명을 해주었다. 잘 만들어진 걷기 코스를 따라 '율동 공원' 방향으로 걸었다. '분당천'을 가운데 두고 좌우로 벚꽃 나무가 식재되어 봄에 벚꽃이 만발하면 다닐 만하겠다는 생각을 하면서 걸어 올라갔다. 분수대가 있는 호수에는 겨울 오리가 노닐고, 햇빛이 잘 들어오는 따뜻한 벤치에는 노인들이 서너 명 앉아서 햇빛의 따사로움을 즐기고 있었다. 하긴 집에 있는 것보다는 이곳에 나와서 동료들과 대화도 하고

'비타민D'도 만들고 일거양득인 줄은 알고 계시겠지?

분당 천변을 걷는 코스는 3년 전 고인이 된 임 교장이 안내해준 길이다. 걸어가다 보니 임 교장 생각이 났다. 나와 걷기 단짝으로 '인도행' 카페에서 걷던 일이며, 제천의 양반길을 다녀오고, 여수도 1박 2일로 여수 둘레길을 함께 걷기 하러 다니던 일들을 들려주었다. 불의의 사고로 사망하게 된 사연도 이야기하였다. 그리고 함께 사진 찍었던 분수대 앞다리 위에서 잠깐 멈추어서 구경하는 김 대장을 두고 혼자 그분의 명복을 마음속으로 빌었다. 아쉬움이 밀려왔다.

한 시간여 걸어서 '율동 공원' 입구에 도착하였다. 햇빛 잘 들어오는 따뜻한 곳에서 가져온 감귤과 커피로 간단한 요기를 하고 '율동 공원 호수'를 따라 잘 만들어진 둘레길을 걸었다. 추운 날씨인데도 많은 사람이 둘레길을 열심히 걷기 운동하는 모습을 보면서 운동은 역시 걷는 것밖에 없다는 생각을 하였다.

골짜기 안쪽에는 '수도 통합병원'과 '새마을 중앙회'가 있는 곳이라는 설명도 해주고 갈대숲에 들어가 테크 마루에 설치된 따뜻한 의자에 앉아 사진도 찍었다.

천천히 걸어서 다시 '수내역'으로 오면서 상가 이층에 있는 식당으로 들어갔다. '코다리찜'보다는 순대국밥을 먹자고 했다. 전번 주에 '코다리찜'을 먹었다. '코다리찜'은 비싸기만 하고 국물이 없으니 싸고 맛있는 순대국밥이 훨씬 낫다고 했다. 비싸다고 좋은 게 아니고 오늘 같이 추운 날에는 그래도 국물 있는 게 좋다고 이야기했다. 순대 국물에 소주 한잔해야 하는데 두 사람 모두 술을 안 먹어서 조금 아쉽긴 했다. 김 대장 역시 자기는 순댓국을 좋아한다고 말하면서 다음에 영통에 있는 할머니 순대집을 가자고 한다. 이왕 말이 나온 김에 다음 월요일에 가자고 했다. 순댓국집 주인아주머니가 빈대떡도 주고 후식인 사과와 커피도 주는 특별 서비스에 흐뭇한 마음으로 즐거운 식사를 하였다.

'수내' 전철역에서 전철을 타고 경로석 앞에 서 있는데 마주 보는 경로석에 앉아있는 평범한 할머니 한 분이 복장을 단정히 하고 손에 핸드백을 잡고, 보따리는 좌석 위에 두고는 용인을 간다고 한다. 그러자 앞에 서 있던 노인 한 분이 이 열차는 수원 간다고 하면서 용인에 가려면 기흥에서 내려 열차를 갈아타야 한다고 알려주었다. 그런데도 "이 열차가 용인을 가는지?" 또 묻는다.

"수원 갑니다."

앞 노인이 대답을 크게 하면서 "내가 용인을 가니 같이 내리면 되니깐 내가 움직이면 뒤따라 내리면 됩니다." 하고 다시 이야기해준다. 그러면서 "용인 어디로 가세요?" 하고 물으니 할머니는 혼잣말로 안 물어보았으면 수원으로 갈 뻔했다고 중얼거리면서 용인 어디를 가느냐는 질문에는 대답을 하지 않는다.

답답한 나머지 주변 사람들이 거들었다. 용인이 넓으니 어디에서 내려야 하는지를 알아야 했다. 경전철을 타고 가도 어느 역에서 내려드려야 하는데 "어디 가느냐?" 반복해서 물어도 용인 간다는 소리만을 하다가 '죽전' 다음 역인 '복정'에서 그냥 내려버린다. 모두 어안이 벙벙한 기분이다. 손을 쓸 수도 없었다. 옆에 앉은 할머니가 아마 치매기가 있는 것 같다고 말한다. 다들 대답은 안 하지만 모두 그렇다는 생각을 하는 것 같았다.

'망포역'에 도착해서 김 대장에게 아까 용인 간다는 할머니를 어떻게 생각하느냐고 물으니 치매가 있는 것 같다고 말했다. 치매가 있는 할머니를 혼자 보낸 자식들에 대해 이런저런 이야기를 하면서 형님은 절대 치매에 걸리지 말라고 나에게 다짐을 받았다. 얼마 전 봉사하기 위해 '봉담 요양원'에서 치매노인들과 함께 지내던 일들이 주마등처럼 스친다. 지금 남은 것은 치즈 먹는 걸 배운 것 밖에 없다.

옛날 육십이 넘어서 오래 살면 벽에 똥칠한다고 하는 이야기가 요즈음 들어 치매로 인해 하는 행동으로 이해하게 되었다. 수명이 길어지다 보니 좋든 싫든 요양원, 요양병원으로 노인들이 인생의 마지막 길을 간다. 현대판 '고려장'이라는 걸 아는 사람은 안다. 치매 예방 지도사로 3년간을 경기도 일원을 다니면서 노인정, 복지센터에서 교육을 한 사람이니, 치매만은 걸리지 않기 위해 분당 천변뿐 아니라 걷기 운동을 열심히 한다. 요양원은 절대로 가지 않으려는 생각이다.

김 대장에게 월요일 열한 시경에 만나 경희대 뒷산을 걷고 할머니 순댓국집을 가기로 한 번 더 약속하고 헤어졌다.

나를 이기고 오늘에 서다

책임지는 모습

망포동에 있는 아파트로 이사하여 내가 살고 있는 아파트 내의 몇 사람과 함께 등산 단체를 만들기로 하고, 80년대 초 '세류 산악회'를 만들어 회장을 지내면서 느낀 경험을 토대로 하여 회원의 친목을 위주로 한 등산 단체를 생각하고 있었다. 회원 모집을 위해 다른 아파트 게시판에 공고문을 붙이고 주변인을 통한 홍보에 힘쓴 결과 1차 총회를 통한 '망포 산우회'라는 등산 친목 단체를 만들었다.

초기에는 버스 한 대 42명의 회원 확보를 목적으로 부부동반 산우회로 발족하여 월 1회 산행을 하기로 하고 회원을 모집하였다. 회원의 대부분은 삼성전자에 다니는 사람과 교사 위주로 구성되었고, 일부 개인택시 및 중소기업체 근무자도 있었다.

부부 동반하는 회원에게는 월회비 중 오천 원을 삭감해주는 혜택을 주는 등 일반 산악회와는 다르게 친목을 통하여 인간적 유대를 가질 수 있게 하였다. 회원 단합을 위하여 산행 후 뒤풀이 회식과 수시로 식사 및 음주를 함께 하다 보니 상호 간 인간적인 교류가 활발해지면서 형님, 아우로 호칭하며 남자들 간에 서열이 형성되고 그로 인하여 조직이 활성화되었다.

회원의 관혼상제에 상호 자발적으로 참여하게 되고 연령 별로 친목회를 조직하는 등, 수시로 회식 및 행사가 많았다. 회원이 학교장으로 있는 특수 고등학교의 위임 교사 임명장 수여식에 참석하여 즐거운 단합 행사를 갖기도 하였다.

두 번째 아들 결혼식을 ○○대학교에서 하였는데 회원 대부분이 참석하여 축하해주기도 했다. 회원 중에서 다리에 장애가 있는 조사장도 한 번도 빠짐없이 어려운 산행에 참석하는 모범을 보여주어서 안타까움보다는 열성적으로 노력하는 자세를 배우면서 마음의 성원을 보냈다.

사회 친목 단체는 대부분 회장 중심 체제로서 회원을 모집하여 조직되고 상호 간 인간관계가 유지되는 체계이다. 그러므로 당시 내가 나이가 많고 처음 창립자로서의 권위도 있고 해서 유지하였으나 임기 2년을 두 번 지난 후 다른 사람에게 인계하고서부터 문제가 서서히 발생하게 되었다. 새로운 회장과의 이해관계가 있거나 친밀한 사이인 사람은 참여하고 그렇지 않은 사람은 탈퇴를 하는 상황이 되어 갔다.

회장을 회원들이 서로 하지 않으려고 하는 바람에 회장 1인 체제로 운영하게 되고 이로 인한 뒷말이 무성하게 되어 결국은 모임이 분리되었다. 전 회장이 다른 산악회를 만들어 운영하면서 D산우회 회원들을 빼내갔다. 당연히 '망포 산우회'의 운영은 어려워지고 결국은 산악회가 해산되고 말았다.

'망포 산우회'는 10년이 지난 후, 나이 먹은 사람들이 힘들어 하여 등반 위주의 산우회는 가지를 못하고 별도의 SO 친목회를 만들어

가깝고 낮은 산으로 등산을 다니면서 친목을 도모하고 즐거운 시간을 가졌다. 초대 회장으로 최고 연령자인 K교장이 하고 다음은 나, 그리고 이 사장이 하기로 순서를 정해 운영하기로 하였다.

내가 할 때까지는 총무의 활발한 활동에 힘입어 주변에 아는 분도 영입하고 명절 대보름이나 추석 후 게임도 하여 즐거운 친목회로 거듭나는 기회가 되기도 하였다. 임기가 끝난 후 회장을 인계해야 하는데 할 사람이 없었다. 약속한 이 사장이 몸이 아프다는 핑계로 못하겠다는 것이다. 그리고 할 만한 사람은 아예 참석을 하지 않거나 참석한 분도 모두 고개를 저으며 사양하는 바람에 결국 총회에서 해산하기로 하고 그동안의 모아둔 기금을 나누어 주고 해산하였다.

분명히 약속을 하고 산악회에 참가했던 모든 분들이 막상 회장을 하게 된 상황에서 보여준 행동을 보고 이렇게 사람과의 관계가 어렵다는 것을 알게 되었다. 자신이 한 말이나 행동에 책임을 지는 모습이 보고 싶다.

사람 사이의 관계는 혈연, 지연, 학연 등으로 맺어진 인간관계와 상호 간의 이해타산으로 형성된 이해(利害)관계로 나누어진다. 친목회는 그래도 인간관계 쪽을 지향하는 모임인데 자신의 이해와 맞지 않는다고 회장을 안 하려고 하고 결국 모임을 해산하는 지경에 이르고 보니 이해가 앞선다는 것을 알 수 있다. 나이 60이 넘어도 어쩔 수 없는가 보다.

해야 할 일

강림 시골을 내려가야 한다. 날씨가 추워도 눈만 안 오면 고속도로는 큰 문제가 없다. 지난번 월남 참전자 모임에서 연말 한마음 대회 행사 전에 어디를 다녀올까 하고 의논하는 과정에서 가까운 '정동진 부채길'을 가자고 주장해서 그리로 가기로 했으니 참석 안 할 수가 없기 때문이다.

시골 겨울의 이른 아침은 춥고 귀찮은 세상처럼 볼 것도 없고 아무것도 없는 쓸쓸함 그 자체이다. 어제 차 한대가 집 옆 신축 공사장엘 왔다가 내려가면서 빠진 적이 있기 때문에 조심히 집을 내려와서 '강림농협'에 차를 세우고 관광버스를 기다렸다.

부부동반으로 참석하도록 되어있으나 우리 집사람은 오늘 새마을 금고 감사 선거로 인하여 참석할 수가 없다. 이 사람 저 사람 만나는 여자분들이 묻는다. 왜 안 왔느냐고. 대답하기가 힘들 정도로 참석하지 못한 걸 아쉬워했다. 그간 여자분 사이에서 인기를 얻었는가 싶었다. 힘든 농사일에 찌든 얼굴들이 하나둘 버스에 오르고 서로 그간 건강하게 살아 오늘 다시 만날 수 있기에 악수하기 바쁘다.

옛날에는 월남전까지 참전한 역전의 용사였다. 애주가인 이 회장이 인사말을 한다. 즐겁게 하루를 보내자 그리고 많은 분이 참석해 주어 고맙다로 요약된다. 수전증에 싱거운 소리를 하면서도 술은 폭음을 한다. 여자분들은 그래도 그런 모습이 보기 좋은지 '깔깔' 웃는다.

동해안의 날씨는 따뜻하였다. 바람 한 점 없다. 강림에서 이곳까지 오면서 얼었던 버스 창가의 얼음이 강릉을 들어오면서 녹기 시작하였다. 바다가 시원하게 펼쳐진다. 하얀 파도가 단두절벽을 때린다. 시원하게 수평선이 바라보이는 바다를 끼고 걸을 수 있게 잘 만들어진 '부채길'은 2.9킬로미터로서 '정동진'에서 '심곡항'까지 걷는 것이다. 많은 사람들이 걷고 있다. 겨울인데도 관광버스 3대와 주차장을 메운 차들로 보아 꽤 많이 온 것 같다. 너무 많으면 앞뒤 공간이 없고 서로 부딪쳐서 걷기가 쉽지 않다. 양손에 지팡이를 짚고 걷는 사람, 허리가 직각이 된 노인들, 다양하게 걷는 모습이 보인다. 걸어가면서 이런 인생길을 걷는 사람은 얼마나 편할까? 생각하니 당장 요즈음 세상 사람들이라는 생각이 든다. 우선 배고픔을 모르니 음식의 질을 높여 먹게 되고, 좋은 집에서 따뜻하게 살고, 남아도는 옷이 처치 곤란하여 의류 수거함에 버리면 옛날 우리가 입던 구호물자가 되어 외국으로 나간다.

어릴 적 굶주림과 힘들게 살던 생각이 난다. 하얀 파도가 몰아친다. 물거품이 나의 마음의 찌꺼기를 씻어 간다. 집사람 생각이 난다. 이제는 편히 살아야지 다짐한다.

월남전 참전자 한마음 대회에 참석했다. 참전 당시를 다시 한 번 새롭게 추억하면서 맹호 사단가를 힘차게 불렀다. 맹호 사단 최전 방에 있는 '프리교'를 경계하면서 '호랑이 작전'에 투입되어 적을 찾는 '올가미' 작전을 수행하기 위해 정글을 누비던 전선의 모습이 스쳐 지나간다.

밤 열한 시 가까이까지 행사를 하였다. 행사는 3부로 나누어 진행하였는데 가장 인기 있는 행사는 행운권 추첨이었다. 행운권 추첨 행사는 텔레비전 3대와 커피 포터 등 50여 점의 선물을 나누어 주는 행사로서 노래한 전우가 추첨을 하여 당첨된 사람이 받아 가는 행사인데, '안흥지회'에서는 김 대령 외 3가족의 부부가 모두 당첨되었고, 총무는 본인이 부인을 추첨하는 행운을 안았다. 한 사람이라도 당첨되는 경우가 안흥 지회에서는 36명 중 12팀이었다고 한다. 돌아오는 버스에서 애주가 회장이 기분 좋다는 말과 특유의 춤을 반복한다.

라운드 테이블에 앉아서 식사와 술을 하는 가운데에 모두들 아픈 곳을 어떻게 치료했는지를 이야기한다. 안면 경련 때문에 술을 안 먹는다고 하니 "'천마주' 삼 년 숙성된 게 좋다"고 이야기하면서 본인의 동생도 그걸 먹고 좋아졌다고 한 번 먹기를 권한다. '안흥 파출소' 앞에 있는 순이네 식당에서 한번 본 게 있으니 가보라고 한다. 다음에 수원에서 내려올 때 한 번 들러서 물어볼까 생각한다.

관광버스가 고장 나서 20분 정도 지체하고 강림에 밤 12시경 도착하였다. 차량의 창유리에 생긴 성애를 녹이고 눈 위를 사륜구동으로 살살 운전하여 집에 자정이 넘어서야 무사히 도착하였다. 대강 정리하고 잠자리에 드니 피곤하긴 한데 잠자는 시간을 지나서인지 잠이 잘 오지 않는다. 어찌하여 잠이 들었는데 갑자기 "펑, 펑" 하며 보일러가 처음 연소하면서 내는 소리가 들리고 곧이어 보일러가 연소하기 시작한다. 밤새 보일러 소리에 잠을 제대로 자지 못하고 새벽에 일어났다. 아침이 되자마자 집주인에게 전화하였으나 전화를 받지 않아 메시지와 카톡으로 "전화 좀 하세요"하고 보냈다. 건축업자와 집주인이 왔다. 연락받고 나가니 두 사람이 보일러실 있는 쪽으로 온다. 집주인이 배기구가 안방 창문 쪽으로 향해 안 되겠다고 말하면서 다른 창문 있는 방향으로 돌려서 설치하라고 이야기하니 처음에는 약간 어려운 것처럼 말하다가 나중에는 그렇게 하겠다고 한다. 소리도 줄이라고 하니 어제 문을 열어 놓아서 소리가 큰 모양이라고 답변한다. 아무튼 오후 8시 이후에는 보일러 소리가 나지 않게 하라고 이야기 해두었다. 이웃 간에 서로 배려하는 마음을 가지는 게 중요하다. 더구나 자연을 벗 삼아 제2의 인생을 살겠다고 내려온 사람이다.

돌아오는 길에 동네로 들어오는 다리 입구에서 장 반장을 만나 지난번 반상회 결과 반장은 계속하는지를 물으니 다른 사람에게 인계를 했다고 이야기하는데 이름을 들어도 한 번도 보지 않은 사람이라 모르겠다고 말하고, 한약 소화제를 구해달라고 부탁하고 올라 왔다. 수원으로 돌아와서 천마에 대해 인터넷 검색을 다시 해보고 천마주도 찾아보고 장 반장에게 전화해서 구할 수 있는지 알아도 보았다. 생천마를 구해야하고 무엇보다도 신뢰성이 있어야 하는데 그러려면 아무래도 천마 농장을 통한 구매를 해야 할 것 같았다.

한 달여 만에 시골에 내려가서 참전전우회 모임에 참석하고, 시골집 이상 유무도 확인하고, 가보고 싶었던 부채길 걷기를 하고 왔다. 나이 칠십대의 노인들이 사는 모습은 병마와 싸우는 것이고 서로 어울려 살면서 배려하는 마음을 갖는 것임을 전우들과의 대화에서 배울 수 있었다.

노년의 불행

나이 먹어 불행하다는 생각을 하게 하는 것으로 첫째는, 건강을 잃는 것은 모두를 잃은 것이니 가장 중요한 불행의 원인 중 하나라 생각된다. 요양원 가지 않을 거면 철저한 건강관리를 해야 한다.

둘째는 경제적으로 어려움을 겪는 것으로서 요즈음은 미리 자식에게 자신의 재산을 나누어 주지 말고 끝까지 가지고 있으라고 하는 말과 같이 그래도 삼식 해결하고 잠잘 수 있는 곳은 있어야 한다는 것이다. 거기다 약간의 여윳돈으로 여행도 다닐 수 있으면 더욱 좋겠고.

세 번째는 자식을 먼저 하늘나라로 보낸 경우이다. 부모로서 자식을 먼저 하늘나라로 보낸 다음 마음고생은 사람에 따라 다르긴 하지만 자식과 함께 갈 수도 있을 정도의 심적 변화를 가져올 수도 있으니 무시할 수 없다.

이분은 퇴직할 때만 해도 모아 놓은 돈이 있고, 아파트 51평에 살고, 월세 나오는 조그만 상가 건물이 있어 노년에는 친구들과 어울려 즐겁게 살아갈 거라고 큰소리쳤다. 금융회사에 근무하고 정년퇴직하였으니 그럴 만도 하다는 생각을 하였다. 그렇게 몇 년간은 즐겁게 지내는 것 같았다. 동네에 사둔 고옥이 개발지역에 포함되어 보상도 받았다. 경제적으로 여유가 있고 건강도 좋아서 매일 걷기 운동을 하면서 즐겁게 지냈다.

그러나 노년의 불행 중 세 번째 요소인 자식이 사망하는 사건이 발생하였다. 작은 아들이 학원을 운영하다가 잘되지 않으니 형님이 근무하는 레미콘 회사에 운전기사로 취업하여 근무하였다. 레미콘 회사의 차량 운전은 운반 횟수에 따라 급료가 지급되는 성과제인 만큼 오랫동안 근속해온 형님의 힘을 빌려 열심히 횟수를 늘렸다. 원래 성실한 사람이기에 가능한 일이었다.

그런 작은아들이 집을 짓기 위해 성토한 땅의 공사장에 차를 대 놓고 있다가 차가 한쪽으로 기우는 바람에 어떻게 막아 보려다가 차에 깔려 사망하는 불상사가 발생한 것이다. 이제 초등생 아이를 둔 아직 젊은 나이에 안타까운 일이 생긴 것이다. 부모로서 자식이 먼저 하늘나라로 간 것이 오죽할까마는 마음을 다스리고 살아가는 것 같이 보였다.

그런 아픔이 있은 지 3년 뒤에 이번에는 두 번째 불행을 가져다 주는 일이 발생했다. 큰아들이 회삿돈으로 주식에 투자하여 주가가 내려가는 바람에 돈을 잃게 되고, 이러한 사실이 회사에 발각되어 공금 횡령으로 구속되었다. 아들의 금전적인 문제를 해결해야만 구속을 면할 수 있으니 금전적 변상을 하기 위해 함께 살던 아파트를 팔아 보태주고 상가 2층으로 와서 살게 되었다.

나이 80세에 아들이 저지른 일로 인하여 경제적인 어려움을 받게 되니 이로 인한 정신적 충격은 그렇다 치고 평소에 건강하신 분이 갑자기 몸이 아파 병원 신세를 지고 있다. 누구라도 이런 일을 당하고 나면 병이 안 생기겠는가 하고 묻고 싶다. 소유의 많고 적음이 행복과 비례하지 않고 소박하게 살아감을 즐기는 자족한 삶의 모습에서 행복을 찾아야 한다는 글귀가 생각난다.

이번에는 건강이 나빠지는 첫 번째 불행이 찾아온 것이다. 나이 먹어 이렇게 되다니 누구를 원망할 수도 없고 결국 팔자타령으로 가는 수밖에 없다. 그래야만 마음의 안정을 찾고, 이러한 상황이 내가 어쩔 수 없는 운명적 일이라고 자위하면서 살아갈 수 있기 때문이다.

"하늘이 무너져도 솟아날 구멍은 있다"는 속담이 있듯이 우선 경제적인 문제는 딸이 도와주어서 그런대로 해결되었고, 정신적인 타격은 사주팔자로 자위하면서 마음을 추스르고 안정을 찾은 것 같았다.

인도 북부의 카타크인들이 들려주는 멋진 잠언이 있다.
"호랑이의 줄무늬는 바깥에 있고 사람의 줄무늬는 안에 있다."
이를 해석하면 호랑이는 눈에 보이는 가죽에서 아름다움이 드러나지만, 사람은 보이지 않는 내면에서 그 아름다움이 깃들어 있다는 뜻이다. 안에 있는 줄무늬를 잘 코디해야 한다. 행복과 불행은 마음먹기에 따라 다르다는 것은 우리 모두 알고 있다.
다만 병원엘 다녀야 하니 혹시라도 요양원엘 가게 되지 않을까 걱정된다. 하지만 나이 먹어 너무나 어렵고 힘든 일들이 발생하여 몸과 마음도 지친 상태라 하루속히 자식들의 일은 지나간 아픔으로 돌리고 소소한 일상 속에서 소박하게 살아감을 즐기는 자족한 삶의 모습에서 행복을 찾아야 할 것이다. 옛날처럼 동네 마실도 가고 수원천 변 걷기도 하여 건강하고 즐겁게 살아가길 바란다.

힘든 세상살이

사람 살기 힘들다는 것을 요즈음의 시골의 모습에서 느낄 수 있다. 횡성, 강림, 노뜰 마을에서 오늘도 힘들게 살아가고 있는 노인분들이 생각난다. 이곳에 온 이후로 노뜰재를 넘어 4리 회관까지 걷기를 꾸준히 하였다. 오늘은 노뜰재 가는 길목에 있는 장 선생 집을 향해 걸어가고 있다.

 길을 가다 보면 커브 길에 인접해서 조 씨 할머니 댁이 언덕 아래 있고, 할머니 집 앞에는 넓은 밭에 옥수수, 배추, 콩, 농사를 하고 있다. 농사는 힘들어서 할머니가 하지 못하고 이웃에 있는 친척에게 농토를 빌려 주고 있다.

 할머니는 온종일 찾아오는 사람 하나 없다 보니 심심하여 마루에 나와서 지나가는 사람들을 구경한다. 이런 할머니 사정을 아는 몇 분이 할머니를 찾아가 같이 커피도 한잔하고 이런저런 이야기를 한다. 나 역시 조 씨 할머니 댁에 들어가 마루에 앉아서 건강 이야기부터 한다. 할머니의 외로움을 덜어 드리고 이야기 상대가 되어 주는 것이다.

 조 씨 할머니 뒷산은 언제인가부터 개발이 되어 전원주택지로 변하고 있다. 집 앞에 있는 남편의 묘는 그대로 지켜지고 있다. 간혹 자식들이 찾아오긴 해도 85세를 넘긴 이후 119 소방차로 응급실로 실려 가는 경우가 요즈음 많아지고 있다. 응급 시에 연락하는 비상 전화가 설치되어 있긴 한데, 연세가 많아지니 갈수록 걱정이 된다. 독거노인으로서 차상위 계층으로 등록되고 도시락 배달 대상자로 선정되어 혜택을 보고 있다. 하지만 외로움과 싸워야 하는 숙명은 어쩔 수 없다. 제대로 걷지를 못하니 따뜻할 때는 마루에 앉아 지내는 일과는 계속된다.

시골에 있는 우리 집으로 가려면 길가에 있는 최 여사 집과 서 씨 할머니의 집을 지나가야 한다. 두 분 모두 남편은 먼저 하늘나라로 가고 자식들은 모두 객지로 떠나보내고 혼자서 농사지으면서 산다.

최 여사는 아직 나이도 젊지만 물려받은 재산이 있어 자식들의 방문도 잦다. 서 할머니는 나이도 많고 컨테이너 집에 혼자 기거하는데 모든 재산을 아들이 다 날려 먹었다고 들었다. 직각으로 꾸부러진 허리를 보행보조기에 의지하고 품삯 일을 다니면서 받은 돈으로 어렵게 사신다. 집으로 올라가기 전에 인사 겸 한 번씩 들러 말동무도 해주면서 이웃 간의 정을 나누고 있다. 이곳은 토박이로 줄곧 사신 분들이 7~8가구 밖에 없다. 그것도 대부분 혼자되신 70세가 지난 거의 할머니들만 살고 계신다.

딱 한 집만 부부가 사시는데 두 분이 모두 뇌졸중으로 쓰러져서 제대로 걷지를 못하고 지내신다. 매일 걷기를 하면서 많이 좋아지긴 했어도 별 차도가 없다. 심했다가 조금 나아졌다를 반복하고 있다. 아들만 다섯이라고 자랑하지만 개인택시 하는 장남만 간혹 한 번씩 오고 나머지는 거의 오지 않는다.

　60년대의 시골에 사는 남자들의 생활이란 힘든 농사일에 시간 여유만 있으면 힘든 노동을 마취시키는 술 먹는 일이 매일 반복되고, 담배를 피워야 어른이 되는 것이니 줄담배를 피웠다. 그래서 몸에 병을 불러 앉혀서 결국 목숨을 단축하는 일이 되어 일찍 돌아가신 것이라고 할머니들이 말하고 있다.

　오래된 일이지만 어릴 때 외할머니 댁에 가면 이웃한 작은 외할머니 댁에서 식사를 하는 경우가 많았다. 그곳에 6.25 참전 용사로서 포로 교환 시에 돌아온 아저씨 한 분이 계셨는데, 결혼하여 생활하지만 너무 힘든 포로 생활로 인하여 골병이 들어 몸을 제대로 가꾸지 못하고 지내시다가 돌아가신 분이다.

　40대 정도밖에 안 됐지만 중늙은이로서 행세하는데, 아침이면 바지 속에 손 넣고 밤새 지나온 일을 회상하는지 어슬렁거리면서 농사일할 것을 생각하는지, 논두렁을 한 바퀴 돌아서 집으로 가는 모습을 자주 목격하였다. 한낮에도 술을 먹고 취해서 마루에 쓰러져 자는 모습도 자주 보았고, 전투에 참가하여 고생한 이야기도 재미있게 들었다. 그래도 아주머니는 90세까지 사시고 자식들이 모두 잘되어 화목하게 지내시는 모습을 볼 수 있어 다행이다. 세상을 고달프게 살아가는 세대들의 모습이다. 힘든 세상을 원망하면서 새로운 세상에 적응하지 못하고 감수하면서 살아간다.

자식들의 생각은 옛날과 달라 부모의 재산에만 관심이 있고 부모의 건강에는 보탬을 주지 못한다. 그러니 재산 없는 노인들의 생활이란 게 겨울에는 더욱 어렵고 힘들다.

장 반장도 40대에 상처(喪妻)하고 10년간을 혼자 살다가 50대에 재혼하여 부부가 살고 있지만 억센 마누라 때문에 알콩달콩한 모습은 보기 힘들다. 서로 못 싸워서 욕하는 모습을 자주 보면서 '상처가 불행의 씨앗을 낳는다.'는 옛말이 생각났다.

장 반장 집에 도착하여 수인사하고 커피 한잔을 얻어먹으면서 잘 지내고 있는지, 그간 새로운 전원주택이 지어지고 전입한 분이 계신지 집 주변을 둘러보면서 물어본다. 요즈음은 40대부터는 몸 관리를 한다. 담배는 아예 피우지 않고 술도 절제한다. 운동과 취미 활동에 적극적이다. 운동은 거의 모든 사람이 최소 걷기운동으로부터 금전적 부담이 되는 테니스, 골프까지 한다. 취미 활동도 열심히 한다. 이를 보면서 격세지감(隔歲之感)을 느낀다. 세상이 노인들의 삶을 더욱 힘들게 하지는 않는지…. 노인은 너무나 힘든 세상을 살아가고 있다. 충효 사상이 다시 한 번 용솟음치고 자식들은 제발 '어버이 살아계실 제 섬기기를 다 하여라'는 격언을 새겨들어야 할 것이다.

늙어가면서

사람이 나이를 먹으면 신체적인 기능에 문제가 생긴다. 피부는 싱싱함을 잃고 허리와 관절은 많이 사용한 탓인지 통증을 호소한다. 더구나 잘 먹고 편안하게 살아가다 보니 살이 찌게 되어 비만과 싸움이 시작되고 그로 인한 고혈압, 고지혈증 등 각종 합병증에 시달리게 된다. 다만 정신력만큼은 본인의 활동에 따라 좌우된다고 생각한다.

집사람은 옛날에는 나와 같이 등산도 가고 둘레길 걷기도 하고 이래저래 인생길 동반자로서 같은 취미 활동을 하였는데 나이가 들면서 여자라는 이유인지는 모르지만, 무릎과 허리의 통증을 호소한다. 처음에는 통증 의학과에 가서 통증 완화 주사를 맞거나 근육 주사를 3차례 정도 맞고 나면 우선은 통증이 완화되고 살 만하다고 했다. 그리고 일주일, 짧게는 3일 정도 지나면 또다시 아프다고 하니 나이에 비례하여 발생하는 병이라는 것을 미처 생각하지 못했다. 그래서 처음에는 잘 알지도 못하면서 동네에 새로 생긴 '튼튼 병원'엘 가서 진찰한 결과 '협착증'이라고 하면서 간단한 시술이라고 해서 받았는데 얼마 되지 않아 다시 아프니 치료의 효과가 별로인 것 같았다. 한의원도 다니면서 물리치료도 받고 침도 맞고 심지어 벌침도 맞았지만, 조금의 효과는 있었지만, 곧 다시 아프게 되었다.

198

아직도 계속 허리가 아프고, 더구나 작년에 시골에서 아스팔트 경사면에서 모래 때문에 미끄러져 발목이 부러지는 바람에 이제 무릎 관절까지 아프다고 한다. 무릎이 벌어져서 오자 상태로 변해 가는가 하면 반쯤 보행 불가능자로서 생활은 겨우 찜질방에서 살다시피 하면서 해 나간다. 티브이에서 하는 각종 질환 예방 운동과 자연 치유 소개를 잘 듣고 지키려고 하고 있다.

생각다 못해 요즈음 유행하는 비싼 안마기를 39개월 할부로 대여하여 사용하기에 이르렀다. 다른 사람들은 아들들이 사서 효도하는데 우리 집 아들 두 분은 아예 생각도 안 한다. 부모님이 연금 받는다는 생각을 갖고 있어 물적 지원은 없다.

안마기를 열심히 사용해야 하는데 적어도 하루에 2번 이상은 사용해야 본전이 되는 데 사용 횟수가 늘지를 않는다. 주로 새벽에 일어나자마자 한 번 '회복 기능'으로 운용하고 저녁에 잠자기 전에 '스트레칭'으로 한 번 한 후에 잠자리에 드는 게 일반적이다. 나는 몸무게도 그렇고 키도 사용 제한에 걸리긴 해도 때때로 한 번씩 사용하긴 한다.

나는 작년까지만 해도 아들이 사용하다가 부모님 생각해서 준, 걷기와 자전거 타기를 할 수 있는 실내 운동기구를 아침 뉴스를 보면서 열심히 하였다. 대략 30분 정도를 타면 땀이 날 지경에 이른다. 팔 굽혀 펴기도 20회 정도 한다.

요즈음은 동네 주변 걷기를 30분에서 1시간 정도 하면서 운동기구를 대신한다. 집안 베란다에서 운동하니 조금 답답함도 있고 무엇보다도 반복해야 하는 것이 마음에 안 들어서다.

봄부터 가을까지는 시골 전원주택에서 약 500평의 농사를 지으면서 시간을 보내다 보니 운동을 따로 하지 않아도 별문제 없이 지낸다. 간혹 전국의 유명한 둘레길을 걷기도 하면서 즐겁게 지낸다. 작년에는 정동진의 부채길을 다녀왔다.

겨울에는 수원에서 일주일에 일회 정도는 수원천, 원천천, 분당천, 왕송호, 안양천 주변 둘레길을 두 시간 이상 동료들과 함께 걷는다. 두 시간 정도 걷고 난 후 그 지역에서 제일 맛있는 식당으로 가서 점심을 함께하면서 이런저런 살아오면서 알게 된 이야기와 각종 정보를 공유한다.

신체적으로 늙으면 마음도 늙어지고 이로 인하여 노년의 가장 무서운 질병인 치매가 찾아오면 외로이 요양병원이나 요양원으로 혼자 가는 길을 가야 한다.

치매 예방을 위하여 집사람은 주민자치센터 노래교실로, 나는 평생교육원 문학창작과로 각자 뇌를 활용하고 기억력을 유지하기 위한 수단으로 열심히 다닌다. 그렇게 해도 집사람은 깜박거린다. 제일 잘 잊어먹는 게 티브이 리모컨이다. 그리고 냄비 태우는 일, 냉장고 물건 처리다.

3년 전에는 공무원 연금 공단에서 실시하는 '치매 예방 지도사'

교육을 받고 경기도 내 노인정과 복지관을 찾아다니면서 교육을 한 적도 있고, 활동 수기를 써서 입선하기도 하였다. 그때 배운 치매 예방 수칙인 '3권 3금 3행'을 열심히 하고 있다.

인간의 육체는 세월의 흐름과 같이한다. 노쇠되어 가는 것이다. 다만 정신은 본인의 의지에 따라 달라질 수 있다. 연륜에서 나오는 감성적인 시와 문장은 연령과 비례 되는 것이 아닌가 하는 생각을 하게 한다. 특히 수필은 더욱 그렇다.

요즈음은 주변에 돌아가시는 분들이 대부분 90세 이상이다. 곧 100세 시대가 오게 되는 것은 당연하다. 나이 칠순이 넘어 문학계에 수필로 등단한 것도 나의 정신 상태를 온전히 보전하기 위함이라 생각된다. 그러므로 정신은 건강한 신체에서 나온다는 사실을 잊지 말고 열심히 건강을 지키는 일에 매진할 때다.

함몰

시골집을 올라가기 전 삼거리에 있는 정 선생 집이 완전히 철거되고 건축 폐기물과 가구들이 그대로 방치되어있다. 무슨 일인지 알 수는 없으나 부인이 무당집을 짓고 무당으로 살겠다고 말한 적이 있어 그렇게 하기 위해 헐었나 하는 막연한 의심을 해보았다. 지금은 요양원에서 지내고 있지만 몇 년 전만 해도 이곳의 터줏대감으로 당당하게 생활하던 정 선생의 모습이 생각난다.

정 선생은 내가 처음 이곳에 전원주택을 매입하여 생활하기로 시작한 날, 제일 처음 찾아와서 반갑게 맞아 주던 사람이다. 부인은 서울에서 카페를 하고 자신은 혼자 이곳에 내려와서 생활한다고 하였다. 동네 입구 삼거리라서 그런지 오다가다 자주 들르게 되고 간혹 치악산 막걸리를 한잔하면서 이런저런 이야기를 나누기도 하였다.

정 선생이 군대에서 전역하는 날 전라도 광주 ○○동을 배회하다가 다방에서 부인을 만났다고 한다. 부인은 특별한 직업 없이 지내는 남편 때문에 서울에서 카페를 운영하면서 생활한다고만 했다. 부인은 아귀찜을 잘한다고 하면서 언제 내려오면 인사 겸 식사를 하자는 이야기와 부인의 자랑을 입에 침이 마르도록 수시로 하였다. 부인은 2~3개월에 한 번씩 다녀간다고 들었다.

정 선생은 일정한 직업이 없이 부인 주변에서 어슬렁거리니 부인의 영업에 방해가 되어 당시만 해도 아주 싼 시골에 땅과 집을 구입하여 혼자 생활하게 되었다. 생활비를 조금씩 내려보내 주다 보니 혼자 할 수 있는 막노동을 하거나 주변 농사일을 도우면서 받는 품삯으로 생활하였다. 부인의 카페에 도움을 주기 위해 주스 재료인 토마토를 재배하여 부인이 오면 보낸다. 된장 간장도 담가 살림에 보탬을 주고 있었다. 몇 해 동안 부인과 떨어져 살다 보니 면소재지 다방에 있는 여자와의 뒷말이 있어 소문을 듣고 부인이 내려왔다. 남편과 한바탕 한 후 데리고 올라가서 철도공사의 협력업체에 취업을 시켜 근무하게 하였으나 얼마 못 가서 사고가 나는 바람에 퇴직하고 다시 내려온 것이다.

어느 여름날 서울 근무 시 사귄 친구들이 놀러 왔다. 함께 지내기 위해 ○○리 펜션을 얻어 즐겁게 지냈다. 화장실에 가기 위해 술에 취한 상태에서 이층 계단을 나오다가 발을 헛디뎌 아래로 떨어지는 실수로 인하여 머리를 다쳤다. 놀란 친구들이 119에 연락하여 원주 기독병원으로 후송되었다. 머리 오른쪽 부분이 함몰되어 아예 머리 뼈가 깨어져서 없는 모습으로 응급실에 실려가 14일 만에 혼수상태에서 겨우 깨어났다.

기뻐해야 할 부인은 도리어 걱정거리를 안은 것으로 생각하는 눈치였다. 그냥 사람 노릇 못할 바에는 죽었으면 좋겠다고, 혼수상태 기간에도 부인은 아는 동네 반장 집에 찾아와서 하소연하였다. 죽지 않고 살았다. 후유증은 대소변을 가리지 못하고 말을 제대로 하지 못하는 것 외에는 특이 사항은 없는 것으로 알고 있다.

사고 후 한번 수원에서 내려오면서 위문 차 요양병원을 들른 적이 있다. 머리에는 주먹만 한 보기 흉한 구멍이 뚫려 있고 함몰된 곳에는 머리 피부만 덮여 있었다. 대소변을 가리지 못하여 기저귀를 차고 생활하고 있었다. "형님! 오셨어요" 하고 반갑게 맞아주었다. "빨리 나아서 막걸리 한잔하자"는 나의 말에 그러겠다는 대답도 서슴없이 하였다. 머리 구멍 뼈는 어떻게 되었느냐고 물었다. 병원에 보관 중이라고 대답했다. 중국인 요양보호사와 즐겁게 이야기하면서 지내는 걸 보고 조금 이상하기도 하였다. 제발 머리에 나 있는 구멍이나 막아주었으면 하고 생각했다.

모든 사람은 살면서 순탄하게 살기를 바란다. 그러나 누구나 한두 번의 어려운 고비를 겪으면서 살아왔다고 생각한다. 정 선생은 무엇 때문에 살아가고 있는지, 아무런 생각 없이 살아온 것이 결국은 인생의 말년을 어렵게 한 것이라고 생각한다.

자신의 뚜렷한 주관과 가치관을 가지고 살아야 하는데 그렇지 않고 흘러가는 대로 육십 평생을 살다 보니 아무런 존재감이 없는 허수아비로밖에 안 되었다. 가장 가까운 부인마저 그냥 없어지기를 바랄 정도로 귀찮은 존재로 취급하니 다른 사람들은 어떻게 대하겠는가? 마음의 욕심을 채우지 못하니 거짓말과 허풍으로 남에게 자신을 인정받기를 원한다. 처음에는 수긍하다가 이제는 안 믿는다. 또 거짓말한다고 생각하면서 속으로 웃는다.

부인이 남편이 살던 옛날 집을 철거하고, 그곳에 무당집을 짓고 무당으로서 정착하겠다고 한다는 소문이 퍼지면서 이웃집들이 벌써 걱정이다. 산골짜기 외딴 집도 아닌 동네 중심에 더구나 조용한 시골에서 무당굿 소리가 나고 외지인이 들락거리면 좋을 게 없기 때문이다. 제발 그런 일이 없기를 바란다.

십여 년을 기다린 보람도 없이 정 선생이 자랑하는 부인의 아귀찜은 먹기 힘들게 되었다. 죽기를 바라는 부인과의 생존 다툼 속에서 마지막 살기 위한 몸부림을 치고 있다. 부인이 함몰된 머리나 제대로 막아 주길 바란다. 우여곡절 끝에 서울 어느 요양원으로 가서 지낸다고 한다. 사람이 살면서 뚜렷한 자신의 가치관을 가지고 생활하는 것이 중요하다. 나 자신의 삶의 목표나 희망을 다시 한 번 생각하게 된다.

그래도 항상 즐겁게 생활하면서 나의 어려운 일을 도와주던 분이다. 정 선생이 심어준 우리 집 정원의 소나무는 이제 새봄을 맞아 푸르름이 더해 가고 있다. 정 선생도 새로운 삶을 살아갈 수 있는 기회를 가지길 바란다.

시골 이사

시골에서 필요한 이삿짐의 일부를 가져가는 이사 아닌 이사를 하기 위해 며칠을 고민하였다. 막대한 비용을 생각하니 남이 하는 식으로 하는 것은 어렵겠고 결국 생각해 낸 것이 차량 운송 사업을 하는 처조카를 시켜서 하기로 마음을 먹었다. 처조카가 지난번 고모 생일과 나의 생일에 보낸 생일 축하금을 갚아야 하는 것도 고려하였다. 처조카에게 부탁을 하고 모든 식구를 동원하여 하기로 마음먹고 상의하였더니 이사 날은 3월 1일로 하기로 정하였다.

막상 이사 준비를 하는데 올해 팔순이 넘은 처남이 온다는 생각을 하니 꺼림칙하기도 하고 냉장고를 꺼내 놓고 보니 도무지 운반할 수가 없을 것 같았다. 가만히 생각하다가 일단 인터넷 검색을 해 보자는 생각으로 '용달 나라' 사이트를 들어가서 용달 화물을 찾다 보니 '착한 화물'이 눈에 들어왔다. 전화를 했다. 젊고 착한 화물이라는 메시지가 휴대폰에 뜨고 가격도 그리 비싼 편이 아니어서 그리로 하기로 결정하고 다시 모든 식구들에게 이사 도우미로 오지 말라고 전화를 하였다. 집사람의 꾸중에 가까운 짜증을 받아가면서 그렇게 정하였다.

두 사람이 8시 정각에 와서 짐을 싣는데 내가 생각한 거와는 너무나 차이가 날 정도로 빠르고 정확했다. 냉장고는 문짝을 분해해 싣고 에어컨도 실외기와 본체를 따로 분리해놓은 상태에서 아무튼 30분 정도 소요되는 시간이었다. 이삿짐을 거의 다 실어갈 무렵에 작은 아들이 들렀다. 이삿짐은 다 실었으니 특별히 할 일이 없는 것이다.

나와 집사람이 먼저 시골로 출발하고 천천히 조심스럽게 오도록 부탁을 한 후 시골로 갔다. 시골에 와보니 눈이 도로에 쌓여있긴 하나 날씨가 좋아 녹아내리고 있는 중이었다. 그래도 집에서부터 올라오는 언덕길은 모두 다시 눈을 치우고 집안도 정리하고 난 후 다행히 이삿짐 차가 도착하여 짐을 내렸다.

시골로 오는 길에 작은 아들한테 기름 값에 보태 쓰라고 얼마의 돈을 주었다는 전화를 받았다. 그래서 그런지 신속하게 정하여준 위치로 운반하고 돌아갔다. 정말 젊은 사람들이 열심히 이삿짐을 운반해주어서 고마웠다. 다음 오포 아파트에 이사 갈 때도 다시 한 번 실어 달라고 부탁하였다.

내려놓은 짐은 집사람의 생각으로 재배치되고 정리되어 일단의 이사는 종료되었다. 그러면서 하는 말은 당신이 생각을 바꾸기 다행이지 만약 우리끼리 이사를 했더라면 얼마나 힘들었겠는가 하면서 이야기한다. 그래, 당신 말이 맞다. 전문가들에게 맡겨야지, 내가 너무 안이하게 생각한 것 같다고 반성한다고 말했다.

시골에 온 지도 금년이면 십 년 차다. 그동안 사용하던 가구를 바꾸고 정리하여 새로운 모습으로 실내 분위기를 정리하였다. 버려야 할 소파가 가장 골칫거리였다. 장 반장에게 필요하지 않는지 문의하기도 하고, 참전 전우회 사무실에 필요하지 않는지, 마을 회관에 혹시 필요한지 반장에게 알아보도록 부탁을 했다. 결국 다 소용없는 일로 되었다. 테크 마루에 그냥 두고 왔다. 다음에 치워야 할 것이다.

가난하여 먹을 것조차 제대로 먹지 못하고 입을 옷은 구호물자로 겨우 살았다는 이야기를 한다. 젊은 사람들은 라면 먹으면 되는데 하고 말한다. 말을 들을 때마다 그 시절에는 라면은 없고 술 찌꺼기와 고구마로 밥을 대신하여 식사를 하였다는 말을 하면서도 서글프다. 힘든 시절을 보낸 오늘의 늙은이들은 절약과 검소한 생활이 몸에 배어 있다. 생활용 물건을 하나 사면 1차는 아파트, 2차는 전원주택, 3차는 농원의 창고로 가서 농사일에 도움을 주고, 아주 못쓰게 되는 절약의 순환 코스를 지나고 나서 비로소 마지막으로 분리수거나 폐기물로 보낸다.

일반 주택에서 아파트로 이사를 할 당시도 가구를 신주 모시듯 가져왔다. 아파트에 붙박이장이 없어서 그래도 옷장으로서 유용하게 사용할 수 있었다. 새로 이사 가는 아파트는 붙박이장이 만들어져 있어 가구가 필요 없게 된 것이다. 무거운 가구 운반을 하지 않아도 되었다.

정말 세상은 많이 변했다. 아까워서 버리지도 못하는 우리 세대의 사람들은 가구 하나 두고 안절부절못한다. 어려운 살림살이에서 집사람이 놓고 생산물 전시장에 근무하면서 힘들게 번 돈으로 당시에는 비싼 돈을 주고 구입한 가구들이다. 벌써 20년도 넘었지만 그 사이 가구와 정이 들었나 보다. 아직 남은 가구는 다시 중고 가구 센터에 물어보고 폐기물로 처리해야 할 것 같다.

살아오면서 수십 회의 이사를 하고도 세상의 변화에 따라가지 못하고 옛날 본인이 알아서 하던 방식으로 하려고 생각한 것이 잘못이다. 경기 광주 양벌리 아파트로 나머지 살림살이를 이사해야 한다. 이사하는 게 그렇게 호락호락하지 않는 일이다. 이번 이사를 통하여 전문 이사 운반 업체에 맡겨해야 한다는 걸 알게 되었다. 아깝더라도 불필요한 물건은 버려가면서 살아야 한다. 그리고 전문가에 대한 생각을 다시 하게 하는 이사였다.

천마주 담그는 날

아침 새벽에 일어나 미지근한 물 한 컵을 마신다. 우선 하던 대로 인터넷을 서핑하고 저장해둔 습작 수필을 한번 다시 보면서 고치려고 애를 쓰다가 아로니아를 먹기 위해 베지밀과 함께 정수기 앞으로 간다. 베지밀과 아로니아 한 스푼을 타서 먹고 나면 조금 뒤 드디어 신호가 온다. 아침에 가장 중요하고 필수적인 활동인 배변 활동이 시작된다. 여섯 시에 출발하기 위해 가져갈 물건을 챙기면서 이 여사에게 이것저것 묻고 지시도 한다. 착한 이 여사는 미리 준비를 해두고 있었다. 차를 준비하고 시골에 가져갈 물건을 챙겨 실었다. 집안을 확인하고 외출 버튼을 누른 후 시골로 새벽안개를 헤치며 출발하였다.

오늘은 천마주를 구매하기로 한 날이다. 안면 경련으로 벌써 5년째 고생을 하고 있다. 2년 전에는 공진단으로 치유하였으나 다시 재발하여 올해는 선단(仙丹)으로 치료를 하고 있다. 아파트를 구매하면서 미리 낸 중도상환금 덕분에 받은 차감액으로 고가의 약을 구입하여 먹고 있다. 이제 며칠 먹으면 끝나니 비싼 한약보다는 조금 싸고 효과가 있는 다른 약을 구하기 위해 전우회 회원들에게 물어보았다. 이구동성으로 오래된 천마주가 제일 효능이 있다는 걸 알려 주었다. 인터넷에 검색을 해보니 백과사전에 "천마는 버섯균에 기생하는 식물로, 자체 광합성 능력이 없어 공생균인 뽕나무버섯균에서 발생한 균사 다발에서 영양을 공급받는다. 고구마처럼 생겼으며 하늘이 내린 영약으로 알려져 있다."라고 기록되어 있었다.

작년 연말 군 정기 총회 자리에서 한 회원이 특별히 이야기해준 식당에 진열되어 있다는 2년 된 천마주 한 병을 전우회에서 그래도 절친한 회원에게 부탁하여 구입하였다. 다른 한 병은 자신이 먹으려고 저장해 두었다고 일전에 월례 모임에서 이야기한 회원에게 구입하기로 하였다.

아침 8시경에 시골에 도착하여 우선 부탁한 회원을 만나 식당에서 구입한 한 병을 받고 난 후 함께 술을 담가 둔 회원의 집으로 갔다. 이른 아침인데도 불구하고 자신의 집안으로 안내하였다. 차를 한잔 주어서 마시고 있는데 옆에 있는 부인이 천마 구입 금액보다 절대로 돈을 더 받지 말라고 엄포 아닌 엄포를 하였다. 자신이 먹으려고 만들어 놓은 천마주를 우선 아픈 사람이 먹고 나아야 한다면서 더 이상 돈을 받지 않았다. 부드러운 인상과 착한 마음에 몇 번 고개 숙여 감사를 표하였다. 천마주를 담을 병을 철물점 하는 다른 회원 집에서 구매하고 집으로 돌아왔다. 유리병을 깨끗이 세척하고, 식초 물로 소독한 후 건조를 하고, 35도의 담금주 전용 술을 부은 다음 플라스틱에 담겨있는 천마주를 옮겨 담아 2병을 만들어 총 3병을 정성스럽게 진열장에 진열하였다.

전원생활을 하기 위해 이곳에 온지는 십여 년 되었으나 개인 사정으로 주민등록을 옮기지 못하다가 3년 전에 이곳으로 전입신고를 하고 월남 참전 전우회에 가입하여 지내고 있다. 나이 먹은 전우들과 처음에는 서먹서먹하기도 하였다. 사실 얼마나 회원으로 있을까 하고 의아심으로 바라보는 가운데서 지냈다.

격월로 실시하는 모임에 빠지지 않고 참석하고 연말 단합 행사와 부부 모임에 열심히 참석하여 서로 간의 소통을 하면서 가까워졌다. 이번 3월 모임에는 "제일 늦게 입회한 사람의 권주사가 있겠다"는 총무의 소개로 권주사를 함으로써 이제는 회원으로서 뿌리를 내린 것이구나 하는 생각을 갖게 되었다. 나보다 늦게 두 분이 입회한다고 오긴 했어도 계속 나오지 않은 것을 보아서 함께 어울려 지내기가 그리 쉽지는 않은 모양이다.

이곳 사람들은 오는 사람 반기지 않고 가는 사람 안타까워하지 않는다. 무덤덤한 표정으로 "왔어" 하면 그만이고 겉으로 표현도 잘 하지 않는다. 심지어 식당엘 가도 네가 먹고 싶으니 찾아왔지 하는 생각이다. 그러니 꼭 먹고 싶으면 간다.

나이 많은 전우들이라 모이면 건강에 대한 이야기와 농사에 관한 정보를 서로 교환하면서 3년 만에 한 번씩 돌아오는 순번에 의해 당번으로 임명된 회원이 식사를 산다. 군내에서 가장 모임이 잘되고 있다. 우리 모임에는 군지 회장도 꼭 참석하여 각종 회 관련 정보도 알려준다. 회원의 30% 정도는 고엽제 중증으로 2~3명은 상이 급수를 받아 보훈처로부터 지원을 받고 있다. 그러니 가장 중요한 정보는 뭐니 뭐니 해도 건강에 관한 것이다.

사람의 욕심에는 끝이 없다지 않은가? 필요한 사람은 사기 마련이니 조금 더 이익을 남겨서 팔아도 되는 것을 구입한 대금만 받고 자신이 먹으려고 담아둔 천마를 아픈 전우에게 주는 마음을 무어라 표현해야 하는지, 시골에서 오랫동안 살아와서 그런지 때 묻지 않은 순수한 마음가짐을 갖고 있다는 생각을 하게 한다. 남을 위해 배려하는 마음으로 그냥 준 거라 생각된다.

담금주는 이곳에 오는 해부터 여러 종류의 술을 담아두고 먹어보기도 하였다. 그러나 천마주는 가장 값이 비싼 술이고, 나의 치료를 위해 담가 보기는 처음이다. 창고에는 각종 효소와 술이 많이 있다. 하지만 이제는 술은 먹지 못한다. 먹으면 안면 경련이 다시 재발할 가능성이 높기 때문이다. 그림의 떡인 셈이다. 나도 회원들처럼 필요한 사람들에게 나누어 주어야겠다.

오늘 천마주에는 군 생활을 통하여 실천해온 전우의 아픔을 그냥 지나가지 않고 나의 아픔으로 생각하는 회원들의 마음가짐이 정성으로 담긴 것이라 생각한다. 천마주는 월남 참전 전우회의 회원들에 의해 담가졌다. 6개월 후에는 좋은 효과를 보게 될 것이다.

8장
세월과 함께

2018.2. ~

자리이타(自利利他)

아내는 마음이 너무나 착하고 순해서 남의 입장을 항상 먼저 생각하는 사람이다. 남이 물어보지 않아도 자신이 알고 있는 데까지 설명해 주고 도움을 주는 그런 사람이다. 남을 먼저 생각하다 보니 자신이 손해 보는 걸 감수한다. 그래도 도움을 받은 사람은 고맙다는 말도 하지 않는 일이 자주 있다. 같이 다니는 나는 항상 잔소리하면서 생각 없는 악역을 하게 된다. 그리고 나의 사후 어떻게 저런 사람이 모진 세파를 헤쳐 나갈 수 있을까 하고 걱정하면서 지낸다.

아내의 나이가 올해 칠순이고, 6월이 생일이고 해서 2박 3일간의 식도락 여행을 갔다. 여행 기간 중 2일 차는 아침에 식사하고 금산 '보리암'을 가기로 했다. 금산 '보리암'은 어머니가 지팡이에 의지한 채로 함께 마지막 여행을 다녀온 곳이다. 친목회에서 두 번, 산악회에서 한 번, 모두 네 번을 다녀왔다. 주차장에서 걸어서 올라갔으나 지금 차로 실어주니 편안하게 갈 수 있었다.

보리암에 도착하여 먼저 '목조 관음보살 좌상'이 모셔져 있는 대웅전 앞에 있는 시주함에 시주하였다. 제발 아프지 않게 해달라고 마음으로 빌고 난 후, 계단을 내려가서 태조 이성계가 기도했던 곳에 세워진 '해수 여래상'을 둘러보았다. 돌아서 나오는데 테크 마룻바닥에 떨어진 신용카드를 아내가 주웠다. 나의 신용카드와 비슷하여 자세히 살펴보고 난 후 누가 흘린 건지 생각하면서 아내에게 돌려주었다.

주차장으로 내려 와서 다음 목적지로 이동하는 여행 버스 안에서 바로 내 옆에 앉은 분이 카드 분실을 신고하는 목소리를 듣고 잠깐 신고를 중지하게 한 후 주워온 카드를 보여주었더니 본인 것이 맞는다는 것이다. 자신의 핸드폰 꽂이에 끼워둔 게 빠진 것이라고 한다. 우연의 일치로 카드는 주인을 찾아가게 되었다.

그런데 카드를 받은 사람은 고맙다는 말 한마디 하지 않고 자신이 신고하면 그다음부터는 카드를 못 쓴다는 말만 하는 것이다. 얼핏 듣기에 혹시 카드를 주운 사람이 흑심을 갖고 카드를 가지고 있었는가 하는 생각을 하게 하였다. 속으로 괘씸한 생각이 들었다. 그래서 불편한 마음으로 하루를 보낸 후 마지막 날 여행사 가이드가 보는 가운데 같은 회사 발행의 내 카드를 보여주면서 분실해서 찾아준 일을 이야기했다. 가이드가 "그러면 한턱내야 하는 게 아니야" 하면서 카드 주인에게 이야기해도 카드 분실로 오는 자신의 불편함만 이야기하면서도 고맙다는 말은 하지 않았다.

'순천 국제 정원' 관람을 마치고 나오다가 앞에 가는 여자분의 목도리가 길에 떨어진 걸 모르고 그냥 가는 걸 아내가 주워서 주었더니 같이 가던 남자분이 고맙다는 말을 한다. 금방 답례를 할 것 같은 진정성 있는 고마움의 표현이었다. 해양 바이클을 타면서 모자를 두고 내린 걸 주워 주인을 찾아 주는 등 여행 기간 중 주워 주인에게 돌려준 일만 3회이고, 휴대용 모기약으로 치료해주거나 노인에게 따뜻한 말로 식사 시 시중을 들면서까지 아내는 타고난 성품을 그대로 보여주었다.

신용카드를 분실하면 신고부터 재발급까지 제법 번거로운 일이 발생하고 그러한 일을 하지 않게 되었다는 사실을 자신의 입으로 이야기하였다. 그러면서도 고맙다는 말 한마디를 하지 않는 사람과 걸어가면서 떨어트린 머플러를 주워준 것에 대해 고맙다는 말을 하는 사람과 비교해본다. 사람 됨됨이의 문제로밖에 생각할 수가 없다. 남이 베푼 은혜를 고맙게 생각하지 못하는 인간으로서의 기본적 소양이 갖추어지지 않은 분으로 생각할 수밖에 없었다.

'보리암'의 기념품 판매소에 들러서 언제 다시 이곳에 올지 기약할 수 없고, 어머니와 함께 온 곳으로 영원히 기억할 마음으로 가격만 보고 행운 염주를 두 개 샀다. 계산을 하는데 가격을 천 원을 더 부른다. "아주머니 지금 가격을 노트에 쓰고 계산하는데 틀리면 어떠합니까?" 하니 깜박했다는 대답으로 대신한다. 몇 초 사이에 깜박했다니 조금은 이상하다는 생각을 했다.

버스 안에서 자세히 보니 나의 것에는 '보리암'이라는 글자가 새겨져 있고 아내의 염주에는 자리이타(自利利他) 견본성불(見本成佛)이라는 글자가 새겨져 있었다. 자리이타(自利利他)는 다른 사람을 이롭게 하는 것이 곧 자신을 이롭게 한다는 뜻으로 쓰인다. 이러한 정신의 실천을 자리리타행이라고 한다. 그 이유는 온 우주가 하나로 연결되어 있기 때문이다. 남을 위하는 것도 이 사회를 위하는 것이고 그것이 결국 모든 사람에게 이익이 되기 때문이다.

견본성불(見本成佛)은 선종에서 깨달음을 설명한 말로 교학에 의지하지 않고, 좌선에 의해서 바로 사람의 마음을 직관하여 불(佛)의 깨달음에 도달하는 것. 불교에서 자기의 본성을 보아 부처를 이룬다는 뜻이라 한다. 선종에서는 모든 사람이 불타의 성품을 가지고 있다고 보기 때문에 독경이나 좌선, 예불, 계율과 같은 수행의 형식을 중요시하지 않으며, 단지 마음을 닦아서 자기의 본성을 보아 부처를 이룰 것을 주장한다.

남을 배려하는 마음으로 봉사를 한다면 결국 자신의 마음을 평화롭게 하고 자신을 위하여 행하는 일이 되는 것으로 생각할 수 있다. 그러한 선한 일들이 모여 덕을 쌓게 되어 이는 인생을 살아가는 데에 간접적으로 많은 도움이 될 것이다.

이번 여행에서 신용카드를 주워서 본인에게 전해준 일이나 머플러를 주워준 일들도 결국은 나를 위해서 한 일이 되는 것이니 고맙다는 말을 안 들어도 나에게 도움이 되고, 결국은 자신의 마음을 즐거움과 행복감으로 채울 수 있게 된다는 생각으로 만족해야 할 것 같다.

비 오는 날의 생각

내일부터 장마철에 접어든다는 안내방송이 계속 나오는 걸 듣고 강림에서의 농사는 오디와 복분자 수확으로 우선 마감하고, 비도 피하고 쉬어가자는 생각으로 그간 오포에서 할 일을 생각하여 수첩에 적어서 오포로 왔다.

고속도로를 오다가 휴게소에서 간단한 점심을 먹으려고 했으나 애완견 '딸기' 때문에 먹지 못하고 집에 와서 중국집에서 잡채밥을 시켜 먹었다. 강림에 있는 중국집에서의 잡채밥보다 요리 솜씨가 없다고 집사람은 투덜거린다. 배가 고파서 억지로 먹었다고 불평이다. 사실 잡채가 불어터져서 맛이 없었다.

도착하자마자 한 일로 우선 안흥 농협에서 조합원에게 매년 일회 제출하라는 농업 경영체 등록확인서를 인터넷으로 발급받았고, 아파트 관리비를 내고 티브이 수신료 면제를 신청한 결과가 어떻게 되었는지를 물어보았다. 6월부터 면제된다고 하였다. 시골에서 먹을 '인삼정'을 가져갈 준비를 하고 커튼 끈 걸이가 떨어진 상태를 새로 부착해달라고 서비스 신청을 하였다. 수첩을 보면서 하나하나 확인하였다. 시골에서 가져온 글쓰기 받침을 정리하고, 가져온 물로 급식을 하였다.

비가 오기 전이라 날씨가 후덥지근하다. 새집에 이사 와서 처음으로 에어컨 시험 운전을 해보았다. 이상 없이 두 대 모두 잘 운전되었다. 안방은 시원하게 온도를 23도로 낮추어 계속 틀어 두었다. 전기 소요는 시간당 1킬로와트를 소모한다고 실시간 전기 소요 표시에 나타나 있었다. 그렇다고 계속 에어컨을 틀어 두지는 못한다. 전기세도 문제지만 이 여사가 가만히 있지 않을 것이기 때문이다.

저녁은 시골에서 가져온 식사로 해결하였다. 날씨 때문인지 오후 내내 잠이 오고 피로감이 몰려온다. 계속 누워 있다가 오후 아홉 시경 잠을 잤다. 일찍 기상하여 가까운 목욕탕엘 가서 목욕을 오랜만에 하였다. 비가 오기 시작한다. 바람도 제법 분다.

비 오는 날 이른 아침에 서재에 앉아서 앞에 보이는 오래된 아파트와 공지를 바라본다. 공지에는 누구의 텃밭인지 이래저래 지렁이 기어가는 모습으로 조금씩 평수를 나누어 고추, 감자, 상추 등 채소류를 심어 놓았다. 그동안 가물어서 너무나 어려웠던 시절을 생각하며 비가 조금 더 오기를 기다리고 있는 모습이다.

아파트 앞에 정문 경비원은 들어오는 차량의 단속과 등교하는 초등학생 어린이의 안전을 지키는 활동을 하고 있었다. 물론 안전 요원으로 근무하는 학부모도 나와서 함께 움직이는 모습을 아파트에서 쳐다보면서 옛날 나의 어린 시절 초등학교 등교할 때를 생각하였다.

이곳 아파트를 선택하게 된 것은 뒤로 '백마산'이 있고 앞으로 '경안천'이 있어 그런대로 노년에 걷기 운동을 할 수 있는 여건이 갖추어져 있기 때문이다. 더구나 제2영동고속도로가 개통됨으로써 '강림'까지의 시간이 단축되었다. '경기 광주' 전철역이 새로 생겨 교통도 편리해진 것이 이점이 되었다. 그렇다고 이런 조건을 모두 생각하고 분양을 받은 것은 아니었다. 그냥 살고 있던 아파트가 너무 오래되어 보수해야만 할 지경에 이른 것이다. 보수보다는 팔고 새 아파트를 분양 받는 게 낫다는 생각을 하고 있었다. 미분양되어 아무나 분양 신청을 할 수 있는 아파트로, 살고 있는 아파트의 매매금액으로 매입할 수 있는 새 아파트를 검색하여 정하였다. 옛날 살던 아파트와 비교하면 3층에서 9층으로, 867세대에서 383세대의 조그마한 단지로 같은 크기의 평수에 같은 가격으로 이사를 하게 되었는데, 손 없는 날을 택하다 보니 비 오는 날 이사하였다.

이곳 아파트로 이사 온 지 2개월이 되어 간다. 아직도 입주하지 않고 있는 공실도 있지만, 오늘 비가 오는데도 입주하는 분도 있다. 그간 이곳 주변 도시 환경을 알아보기 위해 버스를 타고 광주 시내를 다니거나 주변에 가볼 만한 곳을 다녀오기도 하였다.

그동안 너무 가물어서 농원의 작물들이 비를 기다리고 있는데 비가 온다니 반가운 일이다. 아파트 뒷산과 주변의 들도 모두 푸르름이 진하게 초록색으로 보인다. 비가 강한 바람과 함께 세차게 시간당 80밀리까지 내린다니 은근히 걱정되기도 하지만 그간의 가뭄에 비하면 크게 문제될 게 없는 것 같았다.

시골에서는 비 오는 날이면 부추와 매운 고추로 부침개를 해서 막걸리를 곁들여 윤 사장과 같이 먹었다. 그러나 아파트에서도 그렇게 할 수는 있지만 맛을 내는 분위기가 안 되는 것은 어쩔 수 없다. 그러나 아침에 아내가 오디를 갈아서 반죽하여 점심에 칼국수를 끓여 준다니 이것 또한 별미로서 먹을 만하다. 비 오는 날의 점심 별식은 그래도 시골에서 가져온 원재료를 잘 이용하여 만든 맛있는 오디 칼국수로 한 끼를 해결하였다.

비가 너무 세게 많이 온다. 물조리로 쏟아붓는 느낌이다. 이 빗속에 이사하는 입주자는 정신이 없다. 엘리베이터로 짐을 나르니 바쁘게 움직여야 한다. 주차장에 서 있는 내 차 바로 뒤에 이삿짐 차를 주차하고 있어 가만히 보니 불안하다. 내려가서 차를 지하로 이동하여 주차하였다. 계단을 처음으로 걸어서 올라왔다. 앞으로 운동 삼아 걸어 다닐 생각이다. 내일도 비가 온다는데 오후에는 다시 시골로 내려가야 한다. 여름 장마철을 시골에서 보내야 한다.

비 오는 날 오후에 창가에 앉아 주변 풍경을 보면서 다시 한 번 이런저런 생각을 해본다. 두고 온 수원의 친구들, 그리고 아주 문학 회원들에게 모처럼의 전화를 하여 안부를 전하였다. 그리고 다음에 만날 약속과 건강을 지키라는 당부를 서로 하면서 빗속에서 새로운 앞일을 생각하여 본다. 이곳이 마지막으로 살 집이라는 마음가짐 때문인지 더욱 정감이 갔다.

시골 생활의 이모저모

오늘부터 연 삼일 간 빗속에서 살아야 하는가 보다. 계속해서 폭우가 온다는 소식을 전하고 있다. 더구나 6년 만에 태풍이 직접 영향을 미친다고 한다. 비 오는 날 아침에 멍하게 앉아서 잊히지 않고 있는 시골 생활에서 주워들은 이야기 중에서 사람들의 사는 모습을 적어보았다.

어제는 반장의 주도하에 마을길을 새벽 여섯 시부터 십여 명 가까운 사람이 나와서 노들재 넘어 마을회관까지 주변 도로 제초작업과 나무를 정리하였다. 백천 움집 근처에서 3명이 참석하였고 나머지 8명은 노들재 부근의 새로 귀촌한 분들이 대부분이었다. 예초기로 길 양옆을 제초해 나가면 남는 잔풀을 갈고리로 치우고 마지막 빗자루로 쓸어서 도로 옆 고랑 쪽으로 버리는 작업을 3킬로 정도 하였다.

각 지역에서 열심히 살던 사람들이 전원생활을 꿈꾸며 이곳 '노들마을'로 모여서 생활하고 있다. 현재는 가옥 75호 중에서 34가구가 이곳으로 주민등록을 옮긴 상태라 한다. 그중에서 11명이 참석한 것이다. 서로 처음 만나는 분들은 인사도 나누고 생활의 지혜와 정보도 교환하는, 일거양득이라 할 수 있는 일 년에 한 번 실시하는 동네 제초 작업일 모임이다.

작업을 마치고 막걸리 한잔을 나누려고 하는데 모두 술을 안 먹겠다고 한다. 다만 두 사람만 한잔씩 하는 걸 보고 어찌 된 일인가 하고 궁금해졌다. 남은 막걸리와 새우깡 안주는 술 먹는 장 반장 집 앞에까지 운반해주고 왔다.

그동안 살아오면서 몸속에 필요한 술의 총량을 모두들 채웠나 보다 하고 생각할 수도 있다. 그러나 자세히 살펴보면 모두 개인적인 사연이 숨어 있음을 알 수 있었다. 백천 움집 주인은 안면 떨림 현상으로 인하여 술을 멀리하고 있다. 다른 이웃들도 지병으로 인하여 금주를 실천하고 있는 것이다. 예를 들어 보면 윤 사장은 금년부터 심장병 치료를 하는 가운데에 폐암 3기라는 새로운 병을 발견하여 치료 중이고, 앞집 이 선생은 위암으로 병원을 다니고, 마지막 집 지암 시인은 당뇨가 심해서 먹지도 못하고 치료 중이다. 주변에 아픈 사람들이 많다.

시골 물은 좋을 것으로 생각하는 게 상식이다. 마을 주민 모두가 지하수 물을 먹고 있다. 물의 성분을 분석해보니 비소 성분이 기준치를 초과한다. 이 지역은 바위가 많은 지역이라 어쩔 수 없다는 분석 후의 결론이었다. 집마다 식수를 사서 먹거나 정수기를 설치하여 먹고 있다. 나 역시 올해도 3월에 모든 정수기 필터를 교체하였다. 비소를 걸러내 주는 역삼투압 필터를 설치하여 사용하고 있다. 다행히 2020년까지 수돗물이 들어온다니 그때까지 어쩔 수 없이 물을 사 먹어야 한다.

며칠 전에는 마을의 각종 재활용품을 분리수거하는 장소를 선정하기 위해 마을회의를 반장 주관하에 하였다. 현재 마을 회관 앞 공지에 설치되어 있는 분리수거장이 너무 멀고 사용에도 어려움이 있다는 주민들의 불평 때문이다. 물론 공유 면적에 설치해야 한다는 취지에 따라 대략 위치를 정하였으나 인접 땅주인의 딸이 적극 반대하고, 앞집 여자 분은 옛날 자기 집 건너편에 버린 쓰레기 때문에 강을 건너서 있는데도 냄새 때문에 어려움이 있었다고 하면서 반대를 한다. 꼭 필요한 시설이지만 자기에게 피해가 없어야 한다는 생각, 즉 본인의 이웃에는 안 된다는 '님비현상'이 발생하게 된 것이다. 분리수거장 설치는 백지로 돌아갔다. 마을을 위해 토지를 희사하거나 발전기금을 내어서 함께 사는 공동체로서 생활을 모색하던 60년대를 생각하면 어떻게 이런 문제를 해결해야 할지 걱정스럽다. 각자 알아서 버려야 한다. 새마을 정신의 협동, 근면, 자주정신이 다시금 시골의 정신적 운동으로 새롭게 점화되어야 할 것 같다.

작년부터 갑자기 귀촌하여 전원생활을 하겠다고 여러 가지의 사연들을 갖고 새로 마을에 들어온 사람이 부쩍 늘었다. 그만큼 다툼도 많아지고 서로 간의 소통은 물론 편싸움으로 번지고 있는 실정이다. 시골에서 대문을 새로 달고 울타리를 높이 치는 집들이 많이 늘어나고 있다. 결국 도회지와 마찬가지로 인간적 소통 현상은 찾아보기 힘들어지고 있다. 인간보다는 자연과 더불어 살아가면 된다는 이기적인 생각으로 도로 부지의 토지 경계선에 대한 다툼과 전주 위치에 대한 시시비비가 항상 존재한다. 더구나 주민과는 아무런 상의 없이 마을 가운데 절을 짓고 있다.

귀촌하는 사람의 연령층이 대부분 퇴직 후인 만큼 60대 이상이라고 생각된다. 남에게 배려하는 마음을 갖는 게 무엇보다 중요하다. 귀농귀촌 지원 프로그램에서 새로 귀촌하는 사람에게는 별도의 정신적 교육을 받은 후에 귀촌하게 하여야겠다.

십 년이면 강산도 변한다는데 그간 사람의 인심은 더욱 각박해지고 인간적 유대감은 찾아볼 수 없게 되었다. 먹는 물, 버리는 쓰레기, 도로, 자연환경 모두 자신 혼자서 해결할 수 없는 일이다. 공동체로 살아가는 마을의 모습을 보여줄 수 있는 방안은 없을까 한번 걱정해 본다. 훌륭한 지도자가 나서면 가능할 수 있을 것이다.

비가 인정사정없이 내린다. 이번 비로 마을 사람들의 마음을 새롭게 정화시켜 주었으면 좋겠다. 서로 소통할 수 있는 마을이 되었으면 한다.

오늘 따라 책상 앞에 보이는 장모님과 어머니의 사진 속의 모습이 더 가까이 보이는 이유는 무엇일까? 나이를 먹어서 그럴까? 아니면 세월이 흐른 탓일까? 함께 있어야 할 날이 가까워지고 있기 때문일 것이다. 다시 한 번 마음을 가다듬고 정신 차리고 살아야겠다.

나무와 인생살이

세월이 흐르다 보니 전원생활 10여 년이 되었고 나무를 심고 가꾼 지도 9년 차가 되었다. 그러나 자연환경의 변화와 나무의 가치에 따라 베어내어야 하는 일이 생긴 것이다. 처음에는 잘 자라 주기를 기원했던 마음이 다른 농사를 위하여 희생되어야 한다는 마음으로 잘라내는 일을 하면서 인간의 세상살이와 비교해 생각해 보았다.

헛개나무를 심어 놓고 열매 열리는 걸 한 번 보고 자르자는 생각으로 그동안 주변에서 농작물에 그늘을 주어 농사에 어려움이 많다는 이야기를 들으면서도 사람의 간에 좋다는 구전(口傳)을 실천해 보기 위해서 꾸준히 참아왔다. 7년 차가 되는 해에 꽃이 피고 열매를 맺었다. 열매가 닭의 발가락처럼 생겼다. 참아온 보람이 있었다. 마냥 즐겁기도 하고 신기하기도 하였다. 두 그루 중 한그루를 베어내기 위해서 새로 톱을 구입하였다. 그리고 드디어 7년 된 헛개나무한 그루는 잘랐다. 시원한 마음보다는 아쉬운 마음이 들어서 허전하기도 하였다. 헛개나무 열매는 수시로 차로 달여서 마시고 있다.

십여 년 전만 해도 소나무에 대한 매력은 컸다. 가격도 그러거니와 쉽게 구할 수 있고 심어두면 큰 병 없이 잘 자라고 모양을 내면 보기도 좋았다. 밭의 일부분을 소나무 모종심기에 할애하고 소나무 삼십 그루를 심었다. 9여 년이 지나고 보니 소나무로 인하여 농토를 사용하지 못할 뿐 아니라 가치도 떨어져서 결국 베어내게 되었다. 먼저 위만 베어내고 일 년이 지난 후에 뿌리까지 캐는 순서로 일을 하였다. 금년 봄에 뿌리마저 캐어내고 감자밭을 만들어 감자를 심었다. 일부는 옥수수도 심었다.

도로 편 쪽으로 가로수용으로 이팝나무라고 해서 10그루를 심었다. 7년 가까이 되었으나 아직도 꽃이 피지 않아서 간격을 띄워서 중간 나무를 베어버렸다. 자라기는 잘 자랐지만 이밥 같은 흰 꽃을 볼 수가 없었고, 더구나 그곳을 밭으로 개발할 생각이다.

농원의 자두나무 한 그루와 집안에 있는 매실나무 한 그루가 자연 동사하였다. 작년에 나무 가지치기를 무리하게 해서인지 아니면 너무 추워서 그런지, 9년 가까운 세월을 보낸 나무인데 결국 베어버렸다. 텃밭을 가려서 햇빛이 제대로 들어오지 못하게 막고 있는 나뭇가지도 과감하게 잘라버렸다. 그리고 꽃도 열매도 맺지 못하는 농원의 매실나무도 조만간 베어내어야 하겠다. 자리만 많이 차지하여 도리어 밭을 일구는데 방해를 하기 때문이다.

자두나무도 오래된 나무들은 내년 봄에 꽃이 피지 않으면 잘라버리고 고구마 밭으로 만들까 한다. 2년 전에는 열매가 주체할 수 없을 만큼 열리기도 하였다. 성년기를 지나 노년기에 접어든 기분이라 열매도 열리지 않고 관리하는 수고에 비해서 그냥 덩치만 커서 농지만 차지하고 있다.

초창기에는 멧돼지가 출몰하여 고구마를 캐어 먹고 해서 심지 못하였으나 요즈음은 아래위에 집들이 새로 지어지면서 개가 있는 바람에 멧돼지가 오지 않는다. 그래서 인간의 겨울 양식인 고구마를 올해부터 최대한 많이 심었다. 그러나 채소밭을 해치는 고라니 놈 때문에 울타리를 높이 쳐야 할 판이다. 네 번이나 새로 심은 작년을 거울삼아 금년 김장 채소를 지키는 일에 단단히 벼르고 있다. 갖가지 나무들이 아직도 농원에서 잘 자라고 있다. 뽕나무는 올해도 오디를 잔뜩 안겨주었고 효자 나무인 아로니아는 열심히 열매를 익히면서 자라고 있다. 배나무도 특이한 병 없이 열매를 포장하는 단계까지 왔다.

헛개나무는 7년이란 세월에서 꽃을 피우고 열매를 맺어 유익한 일을 하였다. 반면 구찌뽕나무는 수나무를 심어 고생만 하였다. 소나무는 5년 동안 자라도 세상의 변화에 뒤떨어져서 결국 베어버림을 당했다. 자두나무와 매실나무는 환경에 잘 적응하지 못하고 관리를 잘못하는 바람에 고사하였다.

인간도 나무와 마찬가지로 어려서는 정성을 다해서 기르지만 환경의 영향을 받고 자란다. 병들어 죽고 제대로 영양분을 받지 못하는 어려운 환경에서 생활하다 보니 힘든 인생을 보내는 일도 있다. 그러나 주어진 삶을 살아가기 위해 세상에서 갖가지 자신의 맡은 바 일들을 하면서 일생을 보낸다. 나이 먹어서 쓸모가 없으면 베어버릴 수는 없고 요양원으로 보내진다. 나무처럼 잘 가꾸어야 좋은 인재가 되는 것은 당연한 이치다.

사람들에게 유익한 약이 되어 도움을 주는가 하면 반대로 유해한 나무도 있는 것처럼 사람도 남에게 도움을 주는 사람과 불행을 주는 사람이 있음을 알 수 있다. 나무와 사람은 어쩌면 성장 과정이나 목적이 비슷함을 이해한다. 특별히 신경을 안 써도 병 없이 잘 자라고 열매를 맺어 사람에게도 도움을 주는 아로니아 같은 인간이 되었으면 한다.

농원에서 십여 년을 자란 각종 나무들이 이제 서서히 본분을 다하고 자기 갈 길을 가고 있다. 인생 칠십을 넘었으니 나 역시 갈 길을 서서히 준비해야 하는 게 아닌가 생각한다. 제대로 거름을 받지 못하면서도 열심히 이곳저곳을 찾아다니면서 거름을 얻어먹어 오늘에 와서 편안한 전원생활을 할 수 있게 되었다. 무엇보다도 나무처럼 꼿꼿하게 살았다고 자부한다. 마지막을 건강하게 잘 보내어서 그래도 인간으로서 고생하며 살아온 길이 헛되지 않았음을 후세에 남기고 싶다.

나이 먹어서

사람에 따라 차이는 있지만, 시골에서 전원생활이라고 하루 종일 놀면서, 먹고, 자고, 놀러 다니면서 지내는 것은 아니다. 그래도 밭에 나가서 일을 하다 보면 심심풀이로 적당히 한다고 하지만 욕심이란 게 시작하면 좋은 결과를 보기를 원하는 마음이 생긴다. 그리하여 무리하게 일을 한다.

작년까지는 그러지 않았는데, 올해부터는 우선 밭에서 허리를 굽혀서 하는 일은 오래 하지 못한다. 고추 끈 매기, 잡초 제거 작업, 밭 만들기를 하면서 허리가 아픈 것을 느낀다. "아! 이제 늙었구나" 하는 말이 자신도 모르게 나온다. 아내도 마찬가지다. 아예 농원에는 안 가려고 한다. 힘들어서 못하겠다는 것이다. 한번 시동 걸리면 인간 예초기로써 모든 농원 잡초를 제거하는 무지막지한 결백성의 힘이 작동하므로 최대한 아껴둔다. 될 수 있으면 같이 농원에서 일하는 걸 꺼린다. 일을 하고 나면 핑계가 생겨서 아픈 곳이 발생하니 조심하는 편이다.

집에 돌아오면 온몸이 땀투성이고 몸 전체가 움직이는 게 불편하다. 샤워를 한 후 잠을 조금 자야 한다. 그래야 피로가 풀리기 때문이다. 다른 일로 인하여 잠을 못 자면 오후에는 사람이 멍청해진다. 머리가 무거워지고 짜증이 나면서 아무 생각도 안 난다. 나의 고질

병인 안면 떨림 현상이 심해진다. 피로 해소를 위하여 좋다는 비타민제와 기능성 식품을 먹고 있다. 오랜 세월 동안 먹어온 거라 피로 해소에 도움이 된다는 생각을 갖고 있다.

초저녁에 잠을 자고 새벽에 일어난다. 그리고 오전 영농활동을 하고 점심 후 2~3시에 한 시간 정도 오침을 한다. 그래도 오후 8시만 지나면 잠이 온다. 8시 뉴스를 보고 그냥 침대에서 누우면 잠을 잔다. 남들은 잠 잘 자는 복을 타고났다고 한다.

아내는 오후 7시부터 연속극을 다 보고 자정이 되어야 잠을 잔다. 그래서 각자의 방에서 잠을 잘 수밖에 없다. 나이 먹어서 잠자는 시간도 다를 뿐 아니라 몸부림, 코 골기, 신음소리 등 자면서 내는 갖가지 소리와 움직임으로 인하여 다른 사람에게도 피해를 주고, 나이 먹어서 자연히 건강을 챙기다 보니 각자 방을 쓰게 되었다.

잠자는 동안 화장실에 3회 정도 다녀온다. 그리고 4시 반에 일어난다. 나이 먹어서 남자들에게 많은 전립선 비대증이나 다른 질병으로 인하여 고생하는 친구들의 하소연을 들었다. 소변이 자주 마려운 것은 그러한 병에 접근하고 있는 것으로 생각되어 전립선에 좋다는 야관문 술을 저녁에 한잔씩 먹고 있다. 남자의 자존심을 아무리 의사라 해도 끄집어내어 치료받는 일은 없어야 한다는 생각이다.

잠자면서 갖가지 망상과 꿈으로 시간을 보내는 경우가 많다. 살아오면서 그렇게 하지 않아야 할 것을 해서 후회되는 일, 아쉬운 일들이 자꾸만 꿈속에서 나를 괴롭힌다. 내일 할 일도 잊지 않으려고 계속 생각을 되풀이 한다. 오늘도 꿈에서 찾아낸 세 가지 일을 정리하였다. 등기 종료 후 환불금 입금 날짜, 농업 경영체 등록의 경작 규모 문제, 공무원 연금공단 퀴즈 당첨 확인을 아침 아홉 시 이후 바로 문의하여 해결하였다. 깊은 잠은 2시간 정도 자는 것 같다.

식사량도 많이 줄었다. 조금만 먹어도 배가 부르다. 그래서 먹는 것도 어렵다. 간혹 시골에서도 이 지역 특산품이거나 인터넷상으로 유명한 음식점을 방문하여 식사를 하는 경우도 있지만 아무튼 나이 먹어서인지 소화도 잘되지 않아 소화제를 복용할 경우가 많아지고 있다.

"마음은 아직 청춘이다."라고 흔히들 노인들이 이야기한다. 하고자 하는 욕심은 있지만 몸이 따라 주지 않는다. 운전도 마찬가지다. 사실 몸이 늙으면 생각도 위축되어 두려움이 많아지고 그로 인하여 야간 운전은 물론 기상 악화 시에는 절대 운전하지 않는다. 일기 예보를 잘 보아 기상이 좋은 날 다닌다. 깜박하는 경우가 많아지고 옛날 일은 잘 기억해내지만, 이름이나 할 일들을 잊어버리는 경우가 많아진다. 집사람은 냉장고 안에 들어있는 물품을 알지 못하거나 냄비 태우는 일, 쌀도 없이 밥하는 일 등 웃지 못할 일들이 발생하는 이유가 늙어서 그렇다고 생각한다. 치매에 걸리지 않도록 계속 머리를 쓰면서 사는 일들을 하고 지낸다. 작년엔 한문 공부, 올해는 수필 쓰는 일로 열심히 살고 있다.

사회활동을 할 때에도 나이 먹은 사람을 보는 시선이 좋지 않게 느껴지면 무시당하기 싫어서, 그들의 거만스러운 태도에 즉각적인 반응(욕, 주먹)이 나올까봐 될 수 있는 대로 젊은이와는 접촉을 꺼린다. 하긴 젊은이도 같은 생각이겠지만, 정신적으로 피로감을 주기 때문이다. 작년에 정년퇴직하고 이웃에 집 짓고 내려온 배 소장과도 만나거나 전화하는 일이 없이 지낸다. 어른에 대한 공경심이 없으니 서로가 불편하기 때문이다.

늙었다는 것을 느낄 수 있는 일들과 행동을 한번 생각해보았다. 그래도 지금 와서 생각하니 60대는 청춘이었다. 새벽에 배드민턴 치고, 등산 가고, 술 먹으면서 밤새우는 일들은 모두 칠십 대 들어오면서 멀어졌다. 이제는 술도 먹지 못하고 등산도 힘들다. 등산 대신 걷기로 바꾸어서 건강을 지키려고 노력한다. 칠십 대에 들어와서도 칠십대 중반은 되어야 그래도 조금 늙은이 냄새가 나는가싶다. 세월의 흐름을 막을 수는 없으니 병 걸려서 고생하지 않으면 다행이라는 생각이다. 시골에서 부러움 없이 농작물을 재배하는 농업인으로서 정신도 육체도 튼튼한 대한민국의 농업 노인이 되고자 한다.

즐거운 대화

아침 일찍 백마산으로 운동을 가기로 하고 걸었다. 능선까지 올라가는데 그동안 걷는 운동을 하지 못해서인지 힘들다. 농사일 한다고 몸은 많이 움직였으나 운동은 안 되고 특히 다리 힘을 보충해주지는 못했는가 보다.

헉헉 거리며 능선에 올라와서 조금 의자에서 쉬고 나니 한결 몸이 좋아지는 것 같았다. 조금 더 올라가면 운동기구가 있어 올라갔다. 운동기구를 활용하여 운동도 하고 숨을 내쉬기도 하면서 숨쉬기 운동을 병행했다. 정말 공기가 좋다는 생각을 하게 하였다. 백마산을 보고 이사 오기를 잘했다는 생각을 하였다.

헬기장까지 올라갈까 생각도 하였지만 직선에 가까운 계단 숫자가 많아 너무 무리가 될 것 같아서 그만두고 운동 후 오늘은 '대주 아파트' 방향으로 내려가기로 하였다. 처음 내려오는 길이라 무거운 나무 지팡이를 의지하면서 급경사를 내려오니 삼거리가 나왔다. 어디로 가야 할지 잘 몰라서 우선 산소가 보이는 오른쪽으로 갔다. 백여 미터 가고 보니 더 이상 길이 없고 산소가 마지막임을 확인하고, 이번에는 좌측으로 내려 왔다.

개울도 건너면서 한참 내려오니 아파트 주민들이 일구어 놓은 텃밭들이 나온다. 그곳에서 일하고 있는 남자 한 분에게 말을 걸었다.

236

"무얼 심으려고 하십니까?"

"아요, 풀이 못 나오게 검정 비닐로 덮어두려고 합니다."

"이곳에는 고라니 피해가 없나 봅니다."

"아닙니다. 호박잎까지 모두 따먹었습니다."

텃밭으로 슬슬 내려 가보니 상추는 아예 다 뜯어먹고, 콩잎, 호박 잎도 성치 않았다. 그는 '이 편한 세상 아파트'로 이사를 하였고 시골에서 농사를 짓고 있다고 이야기하였다. 인터넷으로 알게 된 고라니 퇴치법 중 크레졸에 의한 방법을 가르쳐 주었다. 잘 이해를 하지 못해서 몇 번을 설명하였다. 서로 인사나 하자면서 악수를 나누고 어디 사느냐고 물으니 '대주아파트'에 산다고 한다. 나이는 육십일세라고 한다. 그러면 나와 띠 동갑이 된다. 나는 칠순이 넘었다고 하였다. 나이 확인이 끝나니 말투가 존댓말로 바뀌었다. 무얼 하면서 시간을 보내느냐고 하니 농협 앞에서 부인이 조그만 식당을 하는데 일을 도와주고 있다고 하였다. 뷔페식 식당이라고 해서 '아! 그러면 어제 내가 집사람과 함께 점심식사를 한 곳이구나' 생각하고 확인을 해보니 바로 맞추었다. 어제 아들이 고기를 특별히 많이 주어서 잘 먹었다는 인사를 다시 하고 서로의 마음을 여는 이야기를 시작하였다.

이분은 이곳 광주 삼동이 고향이라면서 식당일은 너무 힘이 들어 팔라고 내놓은 상태라는 것이다. 어제 들은 이야기지만 대주아파트도 식당도 모두 팔리지 않아 고민이라는 것이다. 임대료나 받을까

해서 원룸 건물을 짓고 있다고 한다. 그곳에서 아들이 일식집을 처음에 했는데 잘 안 되어 아들은 그릇가게를 하게 해주고 부부가 한식 뷔페를 하고 있다고 한다. 식당 종업원의 인건비가 너무 비싸서 수지 타산이 안 맞는다고 하면서 어려움이 많음을 호소하였다.

나는 이곳으로 이사 오게 된 이유와 강원도 횡성에서 농사를 짓게 된 사연들을 이야기하였다. 조금 있으면 감자를 수확하고 들깨를 심어야 한다. 들깨와 토마토는 고라니가 안 먹으니 둘레에 심으면 고라니의 접근을 방지할 수 있다는 이야기도 하였다. 잡초가 자라는 걸 방지하기 위해 텅 빈 밭에 대형 검은색 비닐 씌우는 작업을 하는 걸 조금 도와주었다.

어제 점심 먹으러 간 식당에서 주인아주머니가 '대주아파트'에 산다고 하면서 이런저런 이야기를 나누었다. 그런데 오늘 아침에 남편 되는 분을 텃밭에서 만날 줄은 몰랐다. 사람의 인연이란 이런 것이다. 우연히 들른 식당 주인을 텃밭에서 만나다니 반갑고 놀랍다. 앞으로 자주 식당에 들르겠다는 이야기와 내일도 이곳으로 와서 만나서 이야기 나누자고 하였다.

사람은 사회적으로 활동하면서 서로 간 이야기하고 웃고 즐길 수 있는 친구가 필요하다. 하지만 사회적 활동이 거의 없는 고령자는 이야기할 사람이 없다. 나이 들어 술도 못하니 술친구도 떨어져 나가고 직장생활을 함께 하던 직장동료도 제 갈 길을 가버리니 친구 구하기도 힘든 일이다.

사이버 대학이나 평생교육원에서 만난 학생 친구들도 과정이 끝나면 만나기가 어렵다. 인터넷 카페에서 만나 함께 걷기나 등산을 하면서 지낸 회원들도 그렇게 지나간다. 시골에서 전원생활을 하면서 농사일로 서로 대화를 나누는 농업인으로서 함께 하고 있지만 즐거운 시간을 갖기는 어려운 실정이다.

요즈음은 수필을 쓰면서 책을 벗 삼아 지내거나 인터넷에 올라온 글들을 읽어보면서 시간을 보낸다. 간혹 문학하는 분들과 교류하면서 서로 소통하고 있는 형편이다.

우리가 살아가는 동안 우연의 일치로 행운을 잡는 경우는 드물다. 오늘 아침 만난 김 선생은 만남을 기회로 하여 서로 간 대화를 하게 되어 생소한 이곳에서 처음으로 새로운 친구를 만나게 되었다. 이틀 후에는 군 동료 간 등산 계획이 있다. 오랜 군 생활을 함께 한 친구들이라 부담 없는 막역한 사이이다. 그날 만나면 툭 터놓고 이야기할 수 있는 기회를 실컷 누려 보고 싶다. 내일 아침에 김 선생 만나는 일을 기대한다.

숨바꼭질

작년 가을에 배추를 네 번이나 심게 한 고라니가 올해도 드디어 모습을 나타내었다. 먹을 만한 채소류가 없으니 고구마 줄기 잎 부분을 따 먹기 시작하는 것이다. 처음에 약간의 먹은 흔적을 보고 대책을 강구하느라고 기존 울타리를 튼튼하게 하였다. 그러나 그것은 잘못 생각한 것이다. 그물망을 뛰어 넘어서 유유히 다른 채소밭의 싱싱한 고구마 잎을 다 먹어 버렸다.

드디어 고라니와의 전투 개시를 선언하고 일차로 도로에 연한 그물망을 높이고 농원 전체를 새로 구입한 그물망으로 백오십 센티미터 정도 높이로 울타리 망을 쳤다. 다음날 새벽 농원을 가보니 또다시 들어가서 먹어 치웠다.

이번에는 각 세부 먹이 단위인 고구마 밭을 중심으로 그물망을 치고 도로변의 낮은 망을 제일 큰 고춧대를 새로 구입하여 높이를 높여 쳤다. 그리고 초창기에 사용하던 방법인 크레졸 비누액을 물과 일대일로 섞어서 침입하는 경로에 두었다. 그렇게 하면 지독한 냄새로 인하여 들어오지 않는데, 옛날 쓰다 남은 크레졸 비누액 세 통을 물과 섞어서 울타리와 고구마 밭 주변에 배치하였다.

다음날 새벽에 가보니 세부적으로 친 그물망에 허점이 발견되고 그곳으로 다시 고라니가 침투하여 아예 작살이 났다. 생각 끝에 윗

집에 부탁을 하여 개를 농원 근처로 옮겨 두도록 부탁하였다. 개도 옮겨 두었으니 이제는 괜찮겠지 하는 마음으로 다음날 새벽에 가보니 개가 밤새워 짖긴 했으나 또 다른 구멍으로 들어가서 잡수시고 갔다. 답답해서 고라니는 몇 미터나 높이 뛰나 하고 네이버 팁에 질문을 하였더니 사람 키만큼 높이 뛴다는 것이다. 그리고 아래로 구멍이 있으면 들어간다고 한다.

그물망과 고춧대를 새로 구입하여 고구마 밭의 경계를 새로 치고, 허수아비와 어린이용 색 우산을 매달아 놓았다. 야간에 고라니가 흰색이나 색깔 있는 우산이 펄럭이는 모습을 보면 놀라서 안 온다는 인터넷 카페의 글을 보고 따라서 설치해본 것이다. 그런 다음 날부터 현재까지 고라니의 침입은 없었다. 고구마 잎을 먹은 걸 발견한 날로부터 오일 간의 전투가 끝난 것이다. 그러니 고라니와의 전투로 사용된 자재가 고라니 망 두 롤과 큰 고춧대 백 개 정도가 소요되어 농원에 설치되었다.

농사에 관한 인터넷 카페에 들어가 보면 농민들이 갖가지 방법으로 고라니와 싸우고 있는 모습을 볼 수가 있었다. 흰 비닐 천을 고춧대에 묶어두면 바람에 날려서 고라니가 겁을 먹어 안 오는 방법부터 지금까지 내가 사용한 방법을 포함하여 갖가지 방법이 있다. 그러나 고라니의 학습효과로 인하여 통상 일주일 정도만 효과가 있으니 또다시 다른 방법으로 바꾸어야 한다는 것이다. 각자 경험에 따라 그곳에 출몰하는 고라니와 머리싸움으로 이어진다. 나와 같은 작은 텃밭 정도는 그래도 망으로 커버하는 방법이 제일 무난한 방법일 게다. 큰 농장에서는 물방아를 이용한 함석 치기를 사용하는 방법으로 성공한 예도 있다.

올해에는 유난히 야생동물들이 극성스럽게 설친다. 아마 숫자가 늘어나서 먹이를 찾아서 이곳저곳 다니면서 콩잎, 상추 잎, 고구마 잎을 뜯어먹는 것 같다. 그러나 토란, 토마토, 들깨, 참깨는 기피하는 식물로 알려져 있다. 한번 다녀간 곳을 위주로 다니는걸 보아 못 오게 하는 게 중요하다.

고라니와의 인연은 이번이 처음이 아니다. 최전방 일반 경계초소에 근무하면서 적의 침투를 조기 발견하고 사살하려는 의도로 적 침투로상에 은밀히 자동 크레모아를 설치해 두었다. 인계 철선을 건드리면 조명 지뢰가 터지면서 크레모아가 폭발하도록 설계된 폭발 장치이다. 그런데 인계 철선을 고라니가 다니면서 건드려서 한밤중에 크레모아가 터지는 바람에 조명탄을 쏘아대고 한바탕 최전방 전선이 긴장하게 되었다. 그리고 잘못된 적의 침투로 알고 집중 사격을 가하는 일이 자주 발생하였다. 특히 비 오는 날에는 더욱 심하였다.

아침에 현장을 확인하러 가보면 크레모아에 맞은 고라니가 나뒹굴어져 있다. 조금 서글퍼지기도 하지만 밤새 고생한 걸 생각하면 괘씸한 생각이 앞선다. 결국 사람이 다니는 길을 고라니가 다닌다는 진실을 알게 되는 결과를 가져 왔다. 상급 부대에 상황보고를 하고, 죽은 고라니는 먹으면 재수 없다는 소문을 알고 있어 중대본부

242

로 가져가도록 조치하였다.

　도로 경계망 주변과 고라니가 좋아하는 작물 주변에 들깨를 심고 있다. 얼마나 효과가 있을지 의문이긴 하지만 뾰족한 대책이 없음으로 어쩔 수 없다. 그러나 올해 처음으로 고구마를 심었는데 아직 멧돼지의 습격은 받지를 않아 다행이다. 고구마를 지키는 일은 어느 정도 해결되었다. 고구마 잎은 새로 자라면 되니 큰 문제는 없다. 옥수수 밭은 고라니가 손을 아직 안 대고 있지만 너구리, 멧돼지의 습격을 받은 곳이 주위에 많다. 농원에 새로 보초로 모셔온 젊은 개가 잘 지켜 주리라 믿는다.

　자연의 일원으로서 서로 공존하면서 살아가는 게 좋겠지만 그렇지 못함이 아쉽다. 올해 농사 비용은 예년에 비해 많이 들 것이 예상된다. 공짜로 먹는 가족들에게 새로운 비용을 청구해야 될 것 같다.

불운한 날

입추를 지나서 그런지 그래도 약간의 바람이 불면서 시원하다는 생각을 하게 한다. 폭염으로 전 세계가 난리인데 우리나라는 111년 만의 폭염이라고 한다. 동네 계곡은 물이 말라서 가보았자 시원함을 느낄 수가 없고 집에 있는 에어컨으로 여름을 이겨 내고 있다. 올해는 옛날 집에서 사용하던 스탠드형 대형 에어컨을 설치하였다. 설치할 때 만해도 이웃집 배 소장은 시골에서 무슨 에어컨이냐고 말하였다. 살아보면 알게 된다고 이야기해주었다. 올해의 폭염으로 아마 절실히 필요함을 느꼈을 것이다.

에어컨이 고장 났다. 소형 벽걸이는 잘 되고 있으나 대형은 실외기가 갑자기 돌아가지 않아서 사용할 수가 없었다. 인터넷을 검색하여 고장 유무를 점검하는 방법을 숙지한 후 확인해보니 고장으로 판단되었다. 서비스 센터에 신청하였더니 11일 토요일에 온다고 하여 기다리던 중 오늘 아침에 방문하겠다고 전화가 왔다. 더운 날씨에 하루라도 빨리 고쳐서 조금이라도 도움을 받을 생각에 고맙다고 이야기하였다. 서비스 센터 직원이 방문하여 실외기를 점검하기 전에 한 번 돌려보라고 해서 운전 스위치를 눌러서 돌리는데 고장이라고 생각한 실외기가 돌아가는 게 아닌가?

"어 되네"

실외기가 돌아가니 할 말이 없다. 어안이 벙벙해진다. 분명히 안 돌아가던 실외기가 직원 앞에서 돌아가니 어쩔 수 없다. 원인은 너무 뜨거워서 잠깐 쉬었다고 이야기하는 것으로 끝나 방문 출장비 일만팔천 원이 그냥 나가게 되었다. 오늘 점심값은 먹지도 않고 방문 출장비로 나갔다. 서비스 기사도 미안한지 다시 문제가 있으면 연락하라는 말로 위로해주었다. 그리고서 다음날에도 확인 전화가 왔다. 정상적으로 잘 되고 있으니 그리 알고 처리하라고 했다.

이동전화에 메시지가 떴다. 문자 메시지를 보니 '니 모코'라는 회사에서 "8월분 합산청구료 784,000원 결재 완료"라고 메시지가 왔다. 문의하라는 전화번호가 있어 문의 전화를 하였다. 인터넷에서 본인이 안마의자 값으로 승인하여 결재한 것이라고 했다. 그런 일이 없다고 이야기하니 그럼 결재 취소시키고 사이버 수사대에 연락하여 수사하게끔 하겠다고 하였다. 그렇게 해달라고 부탁한다고 인사까지 하였다.

조금 있으니 마포 경찰서 이강우라는 형사한테서 전화가 왔다. 무어라고 한참 이야기하는데 귀에 들어오지 않고 얼마 후 국민은행 계좌번호 끝자리가 725가 맞느냐고 물어서 아니라고 294라고 하니 본인이 결재 승인을 해주어서 그렇다고 이야기하면서 사건을 검찰로 넘기니 어쩌니 하기에 그런 일은 네가 알아서 하라고 이야기하니 전화를 끊어 버린다.

옆에서 아내는 계좌번호 끝 번호를 왜 가르쳐 주었느냐고 난리다. 국민은행으로 전화를 했다. 그리고 상담원에게 내 계좌번호에서 어떠한 이유라도 출금이 되지 않도록 출금 정지하여 통제하도록 조치를 하였다. 상담원은 나중에 지점에 찾아가서 통제를 해제하면 된다고 하였다.

알고 보니 텔레비전에서 자주 듣고 보는 보이스피싱에 걸려든 것이다. 나 자신은 안 걸릴 거라고 항시 생각하고 있었지만 막상 돈이 빠져 나간다니 급한 마음이 생겼다. 안내하는 여자의 어린 목소리가 신뢰감을 주면서 돈이 빠져나가지 않게 취소시켜준다는데 고맙지 않은가? 그래서 믿게 되었지만, 처음에는 사이버수사대 마포서 이 형사라는 말을 액면 그대로 믿고 계좌번호 끝자리를 이야기하는 실수를 저질렀다.

국민 생활의 보호 자격인 경찰을 사칭하고 검사 운운하여 법을 집행하는 기관의 위엄을 이용하였다. 무지하고 단순한 노인들에게 겁을 주었다. 계좌번호와 비밀 번호 등을 알아내서 돈을 빼어나가는 사기 수법임을 나중에 국민은행 관계자에게 들어서 알게 되었다. 고령자를 상대로 하여 요즈음 유행하는 수법이란다.

계좌번호만 알아서는 안 되고 비밀번호까지 알아야 된다고 한다. 아무튼 공돈으로 일만팔천 원을 주고 그것도 모자라서 보이스피싱으로 통장에 있는 돈이 나가게 될 뻔하였다. 알아보니 경찰, 검찰, 금융감독원을 사칭해 예금을 보호해주겠다거나 불법 자금 여부를 확인해야 한다고 접근하는 '기관 사칭' 수법도 올 상반기 3,179건

발생했다고 한다. 경찰 관계자는 "경찰, 검찰, 금감원은 어떤 경우에도 예금보호, 범죄 수사를 이유로 계좌 이체나 현금 인출을 요구하지 않는다."며 "돈을 송금했다면 즉시 112 신고를 통해 금융기관에 지급정지를 요청해야 한다."라고 한다.

아내의 야단치는 목소리를 들으면서 반성하는 기분이다. 아내는 보이스피싱인 줄 알았다고 한다. 텔레비전을 통한 홍보의 효과다. 계좌번호 끝자리를 가르쳐 준 것에 대한 핀잔이 난리다. 이래저래 오늘은 운이 좋지 않은 날이니 농협 하나로 마트에 물건 사는 것도 내일로 미루라는 아내의 말에 "그렇게 하지 뭐" 하면서 안 가고 말았다.

에어컨은 일부러 인터넷 검색을 통하여 확실한 점검 방법을 숙지한 후 점검을 하여 고장이라고 판단하였으나 정상이었고, 남들이 당하는 보이스피싱을 나는 안 당할 줄 알았는데 걸려들었다고 생각하면 어처구니가 없다. 이제 경찰도 믿지 못하는 시대에 살고 있다는 게 서글프다. 가만히 생각하면 운이 나쁘다기보다 조금 더 세밀한 주의를 기울여야 하겠다는 생각이다. 철저한 점검과 확인을 통하여 사전에 충분한 준비를 해두어야 하겠다.

현관문을 열어두고

너무 더워서 난리다. 찜통더위 속에서도 농원에서 새벽에는 일을 해야 한다. 일하고 난 후에는 어쩔 줄을 모르겠다. 머리가 띵하고 아찔한 기분이 들 지경이다. 집에 오자마자 시원한 냉수로 샤워를 하고 나면 조금 정신이 돌아온다. 다행히 옛날 집에서 사용하던 에어컨을 이곳 시골에 가져 오는 바람에 그래도 지낼 만하다. 천만다행이다. 시골이라도 오늘은 실내온도가 29도를 오르내린다. 밤의 온도가 25도 이상이면 열대야 현상이라고 한다. 계속 더위 경고용 특보가 들어온다. 조심해야겠다.

더위를 먹어서 정신이 없어서 그런지 화장실을 나오면서 불을 안 끄고 나왔다고 집사람이 난리다. 밥 먹을 준비를 식탁에 다해 놓고서는 밥솥에 밥이 없다고 한다. 분명히 밥이 있어야 하는데 없단다. 냄비 올려놓고 다른 일에 신경 쓰느라 냄비 태워 먹는 일은 이제 옛일이 되었다. 시골집을 나와 한참 가다가 가져 갈 것을 그냥 두고 나왔거나 현관문을 안 잠그고 왔다고 해서 다시 돌아오는 일도 그동안 몇 회는 있었다. 이번에는 시골에 있다가 양벌 아파트로 아내의 고희를 맞아 가족 회식을 하려고 갔다. 아파트 9층을 올라가서 보니 아파트 현관문이 열려 있다.

"잘못 왔나?" 하고 아내가 말했다.

"9층이 아니고 다른 층을 눌렀는지?" 하는데 옆에서 자세히 보니 내 책상이 보인다.

"우리 집이 맞는데 왜 문이 열렸지?" 하고 내가 말했다.

그 순간 정신이 멍하다. 이런 실수를 하다니, 일단 집에 들어가서 없어진 게 있는지 확인하기로 하고 집안으로 들어갔다. 집안을 둘러봐도 아무 이상이 없다. 하긴 가져갈 것도 없지만, 그렇다면 전번에 시골 가는 날 서둘러 가다 보니 그냥 문을 열어 놓고 가버린 것으로 생각할 수 있다. 오일 간이나 아파트 현관문을 열어 놓고 갔다는 말이다. 생각할수록 정신없는 짓이었다. 하긴 문이 열려 있으니 사람이 안에 있을 것으로 예상하여 도둑도 쉽게 들어오지 못했을 것이다.

오후에 회식 장소에 가기 위해 현관문을 나오는 순간 마침 옆집 남자 주인을 마주 하게 되었다. 모처럼 만났다. "언제 이사 왔습니까?" 하고 물으니 한 달 정도 되었다고 하면서 왜 계속 현관문이 열려 있는지 궁금했다고 한다. 신축 건물이라 냄새를 빼내기 위해서 그런가 하고 생각하면서 오늘도 열려 있으면 관리사무소에 문의하려고 하던 참이라고 말했다. 시골에 가면서 문을 열어 두고 간 것 같다는 전후 설명을 하여 이해를 시켰다.

나이 먹으면서 자꾸만 잊어버리는 일이 많아지고 있다. 집사람은 특히 좀 심한 것 같아 신경이 쓰인다. 고희연의 식사 자리에서 가족들에게 당부를 하였다. 너희 엄마는 순하고 착해서 남을 먼저 생각하다 보니 가슴에 담아두는 일이 많다. 그래서 포화 상태가 되면 치매가 올 수도 있으니 누적된 가슴앓이를 제거하거나 줄이는 데는 가족이 할 수 있는 기본적인 안부전화밖에 없으니 일주일에 한 번 이상 꼭 안부 전화를 하도록 하라는 당부를 하였다.

처음에는 애완견을 아들이 보내주어서 함께 지낼 수 있도록 하여 외로움과 우울 증세를 치유할 수 있도록 도와주었다. 그러한 일보다는 가족의 안부 및 즐거운 일에 대한 나눔의 전화가 더욱 효과가 있다고 생각된다.

아무튼 절대 걸리면 안 되는 몹쓸 병이라는 사실은 모두가 알고 있지만 가족들이 평소에 서로를 아끼고 배려하는 마음으로 소통을 함으로써 예방이 가능하다고 생각한다.

살아오면서 겪은 나쁜 기억은 잊어버리고 즐겁고 재미있고 유쾌한 기억만 남아 있기를 바라지만 현실은 반대이다. 잠을 자도 항상 아쉽고 잘못된 기억만이 꿈속에 나오고 불필요한 망상만 생각하다 잠을 깨는 일이 허다하다.

요즈음은 어차피 나이가 더 들면 정신은 먼저 하늘로 보내놓고 육신만이 남아 갖가지 고통을 받다가 요양원에서 마지막을 보내는 일이 정상인 것 같다. 항상 가슴속에서 빌고 있는 것은 어머니와 장모님처럼 갑자기 심장의 멈춤이나 노환으로 하루 만에 돌아갈 수 있기를 바랄 뿐이다.

‘정신일도 하사불성’이라 아무리 바쁘더라도 아직은 정신을 차려야 할 때이다. 살아가야 할 세월이 많이 남아있으니 잠깐잠깐 잊어버리는 일은 어쩔 수 없다. 그러나 현관문을 안 닫고 외출하는 일은 없어야 할 것이다. 마지막 확인을 서로 미루지 말고 한 사람에게 부탁하여 철저히 잠긴 상태를 점검해야 할 것 같다.

‘허허’ 웃으면서 하는 말이 “이제는 정신이 없어서”라는 이야기는 하지 않도록 노력해야겠다.

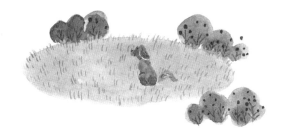

세월과 함께

고마운 사돈

살아오는 동안 많은 사람으로부터 고마움을 느끼면서 살았다. 명절이나 연말연시의 선물 받는 것부터 각종 시험에 합격한 후에 축하한다는 말 한마디까지 고마움을 갖게 한 일들이다. 하지만 나에게 현재 같이 살아가고 있는 사람으로서 잊을 수가 없는 가장 고마운 사람으로 두 분이 생각난다. 한 분은 작은 아들 사돈 내외이고 다른 한 분은 같이 군무원 생활을 함께한 오 대장이다.

크리스마스가 가까워오자 작은 아들 사돈 내외가 만나자고 연락이 왔다. 가보긴 하지만 기도 외에는 뾰족한 수가 있겠는가 하는 생각이 들었다. 그래도 지금 나의 형편에 그렇게라도 해주는 사람이 있다는 게 얼마나 고마운 일인지 모른다. 남의 얘기라고 다니면서 전달하고 평가하는 사람들이 얼마나 많은데….

먼저 작은 아들 집에 도착하여 소파에 앉아 있었다. 사돈 내외가 조금 늦게 들어오더니 내손을 붙잡고 기도하자면서 "하느님 아버지! 연서 할아버지 건강을 다시 찾을 수 있도록 해주세요" 하고 기도하였다. 물론 식사 전에도 기도하였고, 참석한 8명 모두가 나의 병이 나아지도록 마음으로 빌었을 것이다.

산타 모자 쓰고 크리스마스 배지를 달고 즐겁게 사진을 찍고 대화도 나누면서 손녀의 재롱도 감상하는 즐거운 시간을 가졌다. 사돈 부부의 애씀이 그대로 묻어났다. 환자인 나를 생각하여 나물도 만들고 이것저것 준비한 며느리에게 고맙다는 말이 절로 나왔다. 손주들까지 할아버지를 배려하여 자신들의 방으로 안내해주면서 여기서 주무시라고 한다. 가족이란 이런 것이다. 서로 배려하고 아낄 줄 아는 인간관계인 것이다.

크리스마스 날 사부인에게 우선 카톡으로 메시지를 보냈다. 옷을 입으려고 해도, 신발을 신으려고 해도 거의 사부인이 사준 물품들이라 생각이 나서 감사하다는 말을 전한다는 내용이었다. 항상 마음속에는 고마운 마음이지만 말로 표현을 해야 듣는 분이 마음을 이해할 것이 아닌가 하는 생각에서다. 기해년 새해를 맞이하여 사돈 간 인사를 나누는 자리를 만들어서 고마움을 선물로 표시하는 것이 좋을 것 같다는 생각이다. 작은 아들에게 부탁하여 이곳 가까운 장소에 식사를 초대하였다. 상품권이라도 전달할까 한다. 그리고 그동안 고마웠다는 말을 전달해야겠다.

사돈은 교회의 수석 장로님이고 사부인은 집사로서 거의 교회생활로 하루를 보낸다. 세무사 일이 주업이지만 이제 나이도 있고 해서 교회 일에 더욱 열심인 것을 알 수 있었다. 사돈 간에 종교적인 문제를 서로 인정하고 이해하니 더욱 가까워졌다.
나이 차이가 육년이나 있다 보니 사부인이 갖고 있는, 그간 누구에게도 말하기 쉽지 않은 어려운 고민을 들어주고 이해하며 하소연

할 수 있는 상담 역할을 하여 주었다. 사부인은 더욱 묵은 심정을 사돈에게 털어낸다. 며느리와 아들이 오손도손 잘 살아가고 있으니 더욱 부담 없는 관계가 되었다. 서로 손주들 예뻐하고 자랑하고 사위 자랑에 교회에서도 부러워한다고 하였다.

사돈 간의 관계는 어렵다는 옛말이 있다. 그만큼 사돈지간은 예의범절로부터 시작하여 나눔의 무게를 계산하는 관계인 것이다. 자로 재고 저울로 달아서 주고받는다는 옛말도 있다. 이는 한 집안과 다른 집안과의 관계에서 서로 우월한 위치에 있으려는 그런 관계이므로 그렇다고 생각한다.

지난 십여 년을 함께 지내오면서 사돈이 일방적으로 많은 걸 베풀어주었다. 물질적인 면도 그렇지만 더욱 고마운 것은 친동생과 같은 생각을 갖도록 너무나 반가운 만남을 계속하고 있었다.

생일이 지났으나 일부러 시골까지 케이크를 사 가지고 찾아와서 축하해주었다. 교회에서 받은 물품 중 시골에 필요한 것은 챙겨 가져 왔다. 명절 때나 연말에는 우리 부부의 옷을 선물해주기도 하고, 여행을 다녀와도 선물을 잊지 않았다. 미국 아들네 집에 다녀오면서 까다로운 나의 신발을 구매하여 가져왔다. 생각지도 않은 선물에 항상 놀라고 고마워했다.

미국에 있는 사돈총각에게 함께 방문하여 관광과 친척들 집을 방문하여 인사도 하였다. '앙코르 와트'와 제주도 여행도 하였다. 주변 사람들이 사부인에게 사돈 간에 너무 친하다고 이야기한다고 말

하면 "글쎄 궁합이 잘 맞는가 봐요"라고 말한다고 하였다. 그때그
때 말로 고맙다고는 하였지만 항상 미안한 마음을 지울 수가 없었
다. 시골 농사는 언제부터인가 사돈을 위한 농사가 되었다. 가족 영
농인으로 등록해야 할 만큼 자주 들러서 감자도 캐고 고추도 따면
서 함께 이삼일을 농사일로 보내기도 하였다. 야콘을 좋아해서 매
년 야콘을 심고 있다. 김장을 하기 위한 배추와 무, 고추를 심어서
십일월에는 시골 전원주택의 거실에서 작은 아들 가족, 사돈과 함
께 둘러앉아 김장을 한 지도 벌써 십여 년 되었다.

이웃사촌이란 말이 있다. 이웃도 잘 지내면 사촌만 하다는 뜻이
다. 사돈 간에도 서로를 존중하고 이해하면서 살아가면 멀리 떨어
진 형제간보다 더 친밀하게 지내면서 오순도순 살아갈 수 있다는
생각이다. 집안을 무기로 서로 다투지 말고 배려하는 마음으로 인
간적 관계로 지내는 것이 더 친해질 수 있는 길이다. 고마운 사돈과
의 관계는 더욱 친해지면서 언제까지나 계속될 것 같다.

비상 전화

걷기 모임에 참석하여 원천 저수지와 신대 저주지를 한 바퀴 돌고 있었다. 아침에 계단 걷기부터 시작하여 오늘은 제법 많은 걷기를 하고 있는 것이다. 처음 가보는 곳이라 구경거리도 많고 쉴 곳도 많았다. 옛날의 모습은 찾아보기 힘들고 충분한 조경시설과 아름다운 자연경관이 어울리는 곳이다. 따뜻한 잔디 위에 설치된 의자에 앉아 겨울의 햇볕을 한가로이 마음껏 쪼이는 사람들을 보면서 광교 중앙역을 찾아서 갔다.

며칠 전부터 이사한 이곳으로 한번 구경 겸 놀러 오고 싶다는 연락이 왔었다. 수원 세류동에서 함께 생활하던 두 분의 할머니이다. 한 분은 옆집에 살던 재만이네이고, 다른 한 분은 언니 동생하고 지내는 정님네이다. 칠십 후반인 두 할머니가 모처럼의 만남을 위해 이곳 광주로 찾아왔다. 그런데 양벌초등학교에 도착하여 전화를 하니 아내가 전화를 받지 않는다. 찾아오긴 했는데 그래도 집을 잘 모르니 전화를 받고 나와 주어야 하는데 안 받으니 어쩔 줄을 몰라했다. 결국 남편인 나에게 전화하여 하소연을 하는 것이다. 집에서 전화를 안 받으니 어떻게 해야 하느냐고 약간의 짜증스러운 목소리 비슷한 전화가 왔다. 오죽 답답했으면 그렇게 전화하겠는가 하는 마음이 앞섰다.

짜증스러운 전화를 받고 보니 나 역시 어쩔 수가 없다. 광교로 걷기 하러 왔다고 이야기했다. 전화로밖에 할 수 없지 않은가? 세 번 전화를 해도 안 받았다. 관리사무소에 전화를 해서 이야기해볼까 하고 생각하여 전화하니 점심시간이라 전화를 받지 않는다. 어쩔 줄을 모르겠다. 일행은 앞으로 가고 혼자 따로 떨어져 전화기 들고 이 생각 저 생각하다가 번개처럼 갑자기 머리를 스친다. 집에 설치된 일반 전화기로 전화를 했다. 전화를 받았다. "왜 전화를 안 받느냐?"면서 빨리 전화를 하라고 이야기했다.

함께 걷기 하는 일행들에게 오늘의 사정 이야기를 해주면서 집에 비상 연락망으로 일반 전화를 한 대 설치해두라고 이야기했다. 일반 전화기가 없었으면 어찌 되었겠는가 하고 생각하면 답답해진다.

대중교통의 이동 수단은 전철과 버스로 이동하는 것이다. 수원에서 60번 버스를 타고 94개의 정류장을 지나 두 시간 여를 달려 이곳에 도착하여 새로 이사 온 집 구경하며 함께 식사를 하고 가기 위해서 온 분들의 마음을 알아주어야 하는데 처음부터 삐꺽거렸다.

전철을 타면 공짜이긴 한데 갈아타야 하는 번거로움 때문에 지루하지만 버스를 타고 왔다고 한다. 돌아갈 때는 전철을 한번 타볼까 생각한다고 말하였다.

걷기 모임을 끝내고 집에 돌아오니 어려운 여정을 마치고 돌아가려고 일어나고 있었다. 너무나 미안한 마음으로 당신은 전화를 안 받아가지고 하면서 운을 떼니 정님네 할머니가 "그냥 돌아가려고 했다"라고 하면서 환하게 웃으신다. 모처럼 만나 반갑다고 인사를 하고 엘리베이터 앞까지 배웅해 드렸다. 돌아갈 때도 결국 버스로 가시는 게 편하다고 이야기하면서 아내가 정류장까지 배웅해드리고 왔다. 그냥 눈감고 잠깐 주무시면 종착역인 수원에 도착할 것이다. 이곳으로 이사 와서 처음 맞이하는 외부 손님이다. 세류동에 살면서 서로 각별하게 지내기는 했어도 먼 곳까지 찾아올 줄은 몰랐다. 정이란 게 이렇게 아름다운 것이다.

아파트보다는 단독주택에 살면 아무래도 서로 얼굴을 부딪치는 일이 많다 보니 정도 같이 들어가는 모양이다. 더구나 가난하고 힘든 생활 속에서 살아가는 서민들의 삶이란 게 그렇다. 먹을거리가 생기면 서로 나누어 먹고 생일날은 함께 식사하고 부인들은 함께 모여서 수다 떨고, 자식들 걱정 함께 나누면서 지내다 보니 정이 가득한 이웃들이 되었다.

아파트는 서로 알고 지낸다는 게 어렵다. 개인주의가 팽팽하여 자신의 프라이버시를 존중하다 보니 말도 부치기가 어렵다. 그래서 친구도 이웃도 없다. 더구나 이곳은 대부분이 젊은 세대로 구성되어 있어서 그냥 혼자 지내야 한다. 말하기 위해 사람과 부딪치기 위해 오포읍 주민자치센터에 등록을 하고 일월부터 나가기로 하였다. 심심하면 노인복지센터나 중앙도서관엘 가서 책도 보면서 시간을 때우고 있다. 내일도 오래된 걷기 카페에서 만난 닉네임이 '가랑

258

비'인 분과 함께 광교에서 경기대를 거쳐 저수지 둘레길을 걷기로 했다.

사람 속에서 사람이 산다는 말이 있다. 사람은 사람과 함께 지내야 하는 사회적 동물이다. 특히 나이 먹으면 그런 공동체 생활을 더욱 갈구한다. 노년에 가장 무서운 게 외로움이라 하지 않던가?

아내의 휴대폰을 보니 기계의 이상인지, 통화 사실을 지워 버렸는지, 통화 내용이 없다. 내년에는 휴대폰을 바꾸어야겠다는 말을 하였다. 본인이 식사 준비하느라고 받지 못한 것으로 단정하여 더 이상 말없이 지나갔다.

끝까지 챙겨주고 함께해야 하는 아내의 오늘 하루 손님맞이 실수에 얽힌 이야기를 들으면서 결국 웃음으로 하루를 보낸다.

나의 후회

아내와 함께 점심을 낚지 덮밥을 먹고 오면서 아내는 오늘 점심 메뉴는 잘못 정한 것 같다고 말했다. 이 추운 날에 따뜻한 국물을 먹어야 하는데 매운맛 때문에 동치미 물을 먹어야 하니 잘못 선정하였다면서 후회한다. 이러한 간단한 일상생활에서의 후회는 항상 일어난다. 인생을 살아오면서 후회하는 일이 한두 가지가 아니다. 그러나 세월과 함께 묻혀 버리고 나면 잊어버리기 마련이다. 하지만 자신의 삶, 더구나 생명과 직접적인 연관이 있는 후회는 잊어버릴 수가 없다. 사람과 사람 사이의 인간관계에서 말로 마음의 상처를 주고 그로 인하여 나중에 후회하는 경우는 가족 간에 흔히 볼 수 있는 일이다. 그러나 음주운전으로 인하여 사고 났을 때의 후회는 정말 아쉬운 후회가 될 것이며, 안전 수칙을 지키지 않아 일어나는 사고 또한 후회할 수 있으면 다행이다. 자신이 생을 다하지 않을 때에나 후회가 있는 것이지 잘못으로 인하여 생을 마감하게 되면 하늘나라에서 후회하는 일은 없다.

새벽에 소변을 보기 위해 깨고 나면 제대로 잠을 잘 수가 없다. 이렇게 된 것에 대해 이런저런 생각이 파도처럼 밀려오기 때문이다. 안면 경련 증상으로 인하여 술을 못하게 되면서부터 사탕, 초콜릿 등 과자를 심심풀이로 먹게 되었다. 거의 하루 종일 달고 살았다. 그러면서 당뇨는 없으니깐 괜찮다는 생각이었다. 며느리가 집에 들를 때에도 잔뜩 한 보따리 사탕을 사 가지고 찾아오게 하였다. 심지어 사돈이 시골에 오실 때도 고기와 사탕류를 사가지고 왔다. 어린애보다도 더 좋아하고 열심히 먹었다. 사탕은 마음속으로 피로 회복에 좋다는 생각을 하면서 먹었다. 그리고 고기도 일부러 포화 지방산이 가득한·기름 덩어리 부위를 사서 김치찌개에 넣어 먹거나 구워서 먹었다. 시간 나는 대로 고기를 재료로 한 음식인 삼겹살 구이, 순대 국밥, 설렁탕, 육개장, 부대찌개, 곱창전골 등을 사서 먹었다. 농사일을 하니 힘이 있어야 하는데 힘의 원천은 고기에서 나온다는 생각이었다. 소고기는 비싸서 간혹 사서 먹었지만 주로 돼지고기 싼 부위를 위주로 먹었다.

이러한 일은 배고픈 어린 시절을 보내면서 고기는 명절 때에나 먹을 수 있고 사탕과 초콜릿은 돈이 없어 아예 사 먹지 못했기 때문에 나이 먹어서 못 먹었던 식품들이 지천에 쌓여 있으니 고기와 사탕에 한 맺힌 갈증을 해소할 수 있었다.

젊은 시절에는 술과 고기를 먹었고, 나이 먹어서 술을 못 먹게 되어 군것질로 사탕을 먹게 되었다. 건강을 생각하면서 이것저것 가려서 먹어야 하나 배고픈 시절에는 그러한 행위 자체가 있을 수 없는 일이었다. 그래서 맛있는 고기와 사탕을 실컷 먹자는 생각으로 생활하고 있었다. 그러나 이제 와서 그러한 나의 생활태도에 대하여 뼈저리게 후회하고 있다.

흔히 주자의 열 가지 가르침이라는 '주자십훈'은 송(宋) 나라의 거유(巨儒) 주자(주희:朱熹)가 후대 사람들을 경계하기 위해 사람이 일생을 살아가면서 하기 쉬운 후회 가운데 가장 중요한 열 가지를 뽑아 제시한 것이다. 이 글 중에 '춘불경종 추후회(春不耕種秋後悔)'란 봄에 씨를 뿌리지 않으면 가을에 뉘우친다는 말로서, 봄에 밭을 갈고 씨를 뿌리지 않으면, 가을이 되어도 거둘 곡식이 없다는 뜻이다. 이는 건강을 생각하여 자신을 관리하지 않고 함부로 생활하다 보면 결국은 병에 걸리게 되고 이를 후회하게 된다는 뜻으로도 생각할 수 있다.

건강관리를 제대로 하지 않고 사탕과 고기를 지나치게 많이 먹은 결과가 전립선암의 원인 중의 하나가 되었다는 생각을 지울 수가 없다. 그리고 몸무게를 늘리는 요인이 되었다는 생각이다. 전립선암 선고를 받고 늦은 감은 있지만 이제는 살기 위해서 노력한다.

항암 식단을 인터넷과 카페에서 찾아서 이를 아내와 둘이 의논하면서 최대한 지키고 있다. 당이 적은 식품을 섭취하고 육류를 끊고 채소 위주로 식사를 하면서 하루 두 끼 식사를 지키려고 한다.

운동은 경안천 천변을 아침 일찍 두 시간 정도 걷고 몹시 추운 날은 아파트 계단을 팔백 계단 정도 걷고 있다. 얼마 되지는 않았지만 몸무게는 칠 킬로나 줄어서 몸도 가벼워지면서 대변도 시원한 줄기로 나오는 걸 느낀다. 사후약방문(死後藥方文)이긴 하나 건강을 찾으려 노력하는 삶의 애착에 집중하면서 다시는 후회하는 일이 없도록 열심히 실천하고 있다.

262

공자는 "이미 끝난 일을 말하여 무엇하며 이미 지나간 일을 비난하여 무엇하리"라고 말하였다. L론 허바드는 "절대 어제를 후회하지 마라. 인생은 오늘의 나 안에 있고, 내일은 스스로 만드는 것이다."라고 하였다. 항상 아내와 말다툼 가운데에서도 지나간 일을 탓하지 말라는 말로 후회해도 소용없다, 앞으로 더 잘하면 된다고 이야기하곤 하였다. 세월의 흐름에서 얻게 되는 나이를 무시할 수는 없지만, 낙엽 되어 땅에 떨어지는 가을의 시기를 조금 더 늦추고 싶다. 안타까운 마음으로 암(癌)표 받아 줄 서서 하늘로 돌아가기를 주저한다. 제발 남과 같이 시절 인연에 의해 돌아갈 수 있기를 마음으로 빌고 빈다.

세월과 함께

계단 걷기

요즈음은 통상 새벽 네 시를 전후해서 일어나서, 우선 새로 구입한 블루투스를 통한 명상의 곡을 들으면서 마음의 치유를 받는다. 그리고 물 한 잔을 먹어서 속을 다스리고 마지막으로 아침 운동으로 계단걷기를 하러 간다.

　계단걷기 운동은 아파트에 살면서 겨울에 적합하다고 생각한다. 올라갈 때는 계단으로 가고 내려올 때는 엘리베이터로 내려오는 운동을 반복한다. 계단 운동이 걷기 운동보다 1,5배의 효과가 있다니 추운 겨울에 경안천을 걷는 것보다 나은 편이라는 생각이다.

　집에서 나와서는 우선 맨손체조로 팔과 다리 운동을 하여 몸을 풀고 난후 엘리베이터를 지하 일층까지 타고 내려가서 구층까지 올라오는 걸 반복 5회 정도 하면 약간의 땀이 난다. 층간 십육 계단으로 되어있어 처음 여덟 계단을 오르고 계단참에서 잠깐 창을 보면서 두 발짝 정도 걸어서 다시 여덟 계단을 오르면 일개 층을 오르게 되는 것이다. 지하 일층에서 출발 시 광고 스티커로 만든 출발표를 계단에 두고 올라간다. 그래야만 몇 회를 걸었는지를 파악할 수가 있다. 올라오면서 입을 크게 벌려 웃기도 하고 구층 입구에서는 팔 굽혀 펴기를 이십 회 한다. 복도로 들어오면 태권도 기마자세로 중간 찌르기를 한다. 몸을 푼 다음 다시 내려가고 또 올라오기를 하면서 계단을 오르는 것이다. 내려갈 때는 엘리베이터 내에서 다리 근육을 키운다는 기마 자세를 취하고 내려간다. 계산해보니 팔백 계단을 오르고 백이십 킬로칼로리의 열량이 소모된다는 걸 알게 되었다.

계단을 오르다 보면 각 층별로 차이를 보이는 것은 창가의 모습이다. 높이 올라갈수록 창밖엔 싸늘한 기운을 느끼는 고드름이 창에 붙어 있어 더욱 추운 날씨를 가늠하게 한다. 이제 두툼하게 얼어붙은 고드름은 사라지고 '백마산'의 능선이 아침 해를 받아서 아름답게 보이는 것은 봄이 서서히 가까이 다가오고 있음을 알 수 있게 한다.

해 뜨는 시간도 빨라지고 나무들도 서서히 봄맞이를 준비하겠지? 세월의 빠름을 실감케 한다. 추운 겨울의 마지막 계단까지 올라왔다는 생각이 든다.

날씨가 풀리면 '백마산'의 높이와 동일한 사백삼십사 계단을 올라갈 생각이다. 나만이 알고 있는 계단 수와 백마산의 높이는 계단을 올라가야만이 백마산 정상에 도달할 수 있음을 말해준다. 시멘트로 된 아파트의 층간 계단보다는 흙으로 그리고 나무로 만들어진 허름한 계단이 더욱 오르기가 힘들지도 모른다. 그래서 겨울에는 계단 옆으로 돌아갈 수 있도록 등산객이 길을 만든다. 계단 하나하나가 정상을 향해 가는 것처럼 우리는 인생의 목표를 향해 계단을 오르고 있다.

세월과 함께

우리네 인생도 계단과 같다는 생각을 해본다. 인생 계단은 나이를 기준으로 한 생의 계단과 삶을 중요하게 생각하는 삶의 계단으로 생각할 수 있다. 중간에 한 칸이라도 빠지면 계단이 될 수 없다.

에드워드 멘델슨이 그의 작품에서 나눈 인생의 일곱 계단인 탄생, 어린 시절, 성장, 결혼, 사랑, 부모, 미래의 계단을 지나온 생에 비추어 생각해보았다.

아들을 애타게 기다리던 부모님한테서 태어나 전쟁으로 인하여 헐벗음과 굶주림으로 힘들게 성장하였다. 어렵게 학교에 울면서 다녔다. 힘든 군 생활을 배고파 자원입대하여 대가족을 도우면서 월남전까지 참전하고, 순수하고 착한 여인과 결혼한 덕분에 마음의 평온과 사랑을 배우면서 모진 세파를 이겨내고, 아들 둘의 부모가 되어 강직과 성실로 키워왔다. 마지막 미래 계단은 새로운 삶을 위하여 나아가기 위한 변화와, 하늘로 천천히 돌아가기 위한 마지막 인생 계단을 잘 끝맺을 수 있도록 하기 위하여 매일 아침 8계단씩 두 번을 올라 한 층씩 나아가고 있다.

그동안 배우지 못한 공부의 배고픔을 채우고 이런저런 자격증 취득을 위한 노력과 책읽기는 거북이의 등껍질 같은 마음의 껍질을 벗어던지고 새로운 변화를 가져오게 하였다. 문학의 길로 들어가기 위한 노력으로 새로운 삶의 의미를 주는 일이 되었다. 미래의 새로운 계단에서 인생 70세대의 계단을 오르고 있다. 아직도 80세대의 계단을 올라야 한다. 천상병 시인의 "하늘로 돌아가리라"라는 시의

문구처럼 하늘로 돌아오라는 암(癌)표를 받았으나 남과 같이 돌아갈 수 있는 삶의 여정을 계속하기 위해 아파트의 계단을 오르고 있다.

이애란 가수의 '백 년 인생'에서 "70세에 저세상에서 날 데리러 오거든 할 일이 아직 남아 못 간다고 전해라"라는 노래의 가사가 생각난다. 나는 아직 할 일이 많다. 최소한 남들이 오르는 80세대의 계단까지는 오르고 싶다. 아파트 계단 오르듯이 인생의 계단을 느리게, 할 일 해가면서 100세대 계단까지 올라갈 수 있을까 생각해 본다. 계단 걷기 운동은 나의 인생 계단을 좀 더 올라갈 수 있도록 해 줄 것이다. 주어진 암(癌)표를 떨쳐버리기 위해 오르고 걷고 하다 보면, 서서히 암표가 사라지고 새로운 삶표가 나의 손에 쥐어질 것이다. 지나온 계단을 다시 돌아볼 여유도 없이 나는 앞으로 살아야 한다는 마음으로 오늘도 계단을 오른다.

건강 유지 자격증

마지막 공직을 퇴직할 때에는 너무나 어려운 시련이 있었다. 아침 출근길에 반대편에서 오는 차와 정면충돌하여 고관절과 팔목 골절로 3개월의 병원 생활을 해야 했다. 더 이상 예비군 지휘관으로서 근무하기가 힘들다는 생각으로 명예퇴직을 신청하였다. 결국 31년 6개월의 군 생활과 연관된 예비군 지휘관을 마지막으로 99년 9월 30일부로 사회로 나오게 되었다. 다행인 것은 머리와 허리를 다치지 않은 게 고마울 뿐이었다.

공직생활을 하다가 막상 사회에 나오고 보니 막연하였다. 무얼 할지를 생각하기보다는 우선 교통사고 후유증을 치유하기 위하여 열심히 운동과 주어진 처방약을 복용하면서 건강을 되찾기 위해 노력하였다. 퇴직 후 처음으로 고향으로 가는 버스 속에서 우연히 읽게 된 보험 대리점 모집 광고를 보고 응시하기로 작정하고 원서를 제출하였더니 합격 통지서가 날아왔다. 연수 교육을 자체적으로 3주간 실시한 후 보험 협회에서 실시하는 자격시험에 응시하여 합격하면 소속 보험 대리점장으로 근무할 수 있게 하는 것이었다. 열심히 한 보람이 있어 합격을 하였다. 그러나 보험을 한다고 하니 주변 사람들이 모두 고개를 돌린다. 심지어 가족들까지도 못하게 말린다. 더구나 여동생이 보험 설계사를 하고 있었으니 더욱 그렇다. 그러면 공인 중개사 자격증을 따서 개업을 하면 도와주겠느냐고 물으니 도와주겠다고 약속을 했다.

공인 중개사 공부는 수원 매교동 소재 학원에 등록하여 삼 개월을 다니면서 공부하였다. 시험을 치르고 답안지를 확인하니 합격 여부가 불확실하였다. 합격자 발표하는 날 혼자 지하실 골방에서 ARS 전화로 합격을 문의하니 "합격입니다. 축하드립니다."라는 멘트를 듣는 순간 그간의 노력한 보람이라는 생각을 지울 수가 없었다. 한걸음으로 달려와서 가족들에게 합격을 알리고 기쁨을 함께하였다.

공인 중개사 시험은 당시만 해도 어려운 시험에 해당되었다. 지역 예비군 지휘관을 한 덕분에 동네 유지분들과 지역 예비군들의 도움으로 '백천 공인' 사무실을 개업하였다. 개업하자마자 동네 사랑방이 되면서 너도 나도 부동산에 대한 문의와 도움을 요청해 왔다. 심지어 본인들끼리 계약한 내용을 갖고 찾아와서 계약서를 써 달라고 했다. 써주었더니 중개 수수료를 주는 게 아닌가. 정말 고마웠다. 또한 같이 사무실에 근무하는 연로하신 두 분의 많은 경험에 의해 그런대로 사무실 유지는 가능하였다. 동네 분들과 재미있고 즐거운 생활을 하면서 부도난 공장의 시설물을 포함한 부동산을 중개하는 일을 하기도 하였다. 공인 중개사 사무실을 운영한 지도 4년 차 접어들었다. 부동산 경기가 없어서인지 빈 사무실만 지키기가 곤란하여 주택 관리사 자격증에 도전하기로 하였다. 공부는 노량진에 있는 학원을 3개월 다녔다. 그리고 시험을 응시한 결과 공인중개사 응시 결과와 마찬가지로 짜릿한 합격의 쾌감을 맛볼 수 있었다. 길을 걸어가면서는 물론이고 잠자면서도 암기할 정도로 외우고 또 외웠다. 어려운 과목은 회계 실무 과목이었으나 다행히 합격 점수를 받았다. 주택관리사보 자격증을 받아 들고 아파트 관리 용역 업체를 다니면서 취업을 부탁하였다.

산우회 회원의 도움으로 수원에서 한 시간 정도 가야 하는 화성군 우정면에 있는 아파트에 관리소장으로 첫 부임을 하게 되었다. 알고 보니 전 관리소장이 공금 횡령으로 구속된 상태였다. 교통의 불편을 해소하기 위해 새벽에 출발하여 아파트에 도착하는 등 초임자로서 근무하는 불편을 감수하여만 하였다. 3개월 근무 후 아들의 결혼도 있고 업무가 힘든 것도 있었지만 동대표 회장의 갑질에 자존감이 무너지는 것 같아 그만두었다. 그 이후 4개의 아파트를 전전하면서 근무를 하다 보니 주택관리사로 자격증이 변경되었다. 마지막 1500세대의 대형 아파트 단지에 근무한 다음 더 이상 관리소장으로 근무하려는 마음을 접었다. 만일 연금 수급자가 아니었다면 끝까지 근무를 하였을 것이다.

그간 모은 돈으로 전원주택을 구입하여 5도 2촌의 생활을 하면서 자연 친화적인 모습을 가지도록 노력하였다. '백천 농원'이라는 소규모 농장을 아내와 함께 열심히 가꾸었다. 농업 경영체 등록과 농협 조합원으로 가입하고 과수와 필요한 채소류를 심어서 자식들과 사돈네에게 보내주면서 지냈다. 이제 전원생활도 11년 차에 접어들었다. 농사지어 수입은 없지만 내가 지은 농산물로 가족이 먹을 수 있고 즐거운 휴양처를 가지고 있음을 자랑스럽게 생각한다. 이것도 연금을 받고 있으니 가능한 일이다.

그간 각종 자격증을 아홉 개나 취득하면서 학점은행으로부터 서울디지털대학, 그리고 국제사이버대학을 다녔다. 평생교육원에서도 명리학, 한문 지도사, 문예 창작반을 겨울 한 학기씩 다니면서 공부하고, 친구 사귀는 일을 하면서 겨울을 보냈다.

기억 남는 것은 사이버대 졸업식에서 "칠순의 나이에도 불구하고 오늘 영예의 졸업을 하는 하봉수 님께 경의를 표한다."라는 총장님의 인사말과 표창장을 받은 일이었다. 그리고 행정 대학원 석사 과정에서 5개 학기를 모두 A학점을 받아 개교 이래 처음으로 총장 표창을 받은 일이며, 조경 기능사 실기 시험에서 가장 연령이 많은 분이 오셨다며 시험관으로부터 커피 대접을 받은 일은 일생에서 잊지 못할 일이다.

도전하는 자만이 성취할 수 있다는 생각과 노력하면 이루어진다는 자신감으로 이제 마지막 자격증에 도전하고 있다. 그것은 건강 유지 자격증이다.

작년에 암 선고를 받았다. 이제 암을 이겨내고 건강을 유지하여 하늘이 주는 건강 유지 자격증을 받아들고 천수를 누리는 일이다. 식생활 개선은 물론 운동의 생활화로 그간 4개월 여 동안 많은 진전이 있었다. 대학병원 의사 상담 시 바람직한 방향으로 가고 있다는 한마디는 새로운 도전의 시작이 되었다. 마지막 도전에 꼭 성공하고 싶다. 내가 만든 건강 유지 자격증을 받기 위해 내가 만든 규칙을 준수하고 아내의 도움을 받아 새로운 자격증을 가질 수 있기를 두 손 모아 빈다.